ROMMEL

A RAPOSA DO DESERTO

Consulte nosso catálogo completo e últimos lançamentos em **www.editoracontexto.com.br**.

GUERREIROS

ROMMEL
A RAPOSA DO DESERTO

Cyro Rezende Filho

editora**contexto**

Foto de capa
Deutsches Bundesarchiv

Montagem de capa e diagramação
Gustavo S. Vilas Boas

Coordenação de texto
Luciana Pinsky

Preparação de textos
Lilian Aquino

Revisão
Flávia Portellada

Dados Internacionais de Catalogação na Publicação (CIP)
(Câmara Brasileira do Livro, SP, Brasil)

Rezende Filho, Cyro
Rommel : a raposa do deserto / Cyro Rezende Filho. –
1. ed., 2ª reimpressão. – São Paulo : Contexto, 2025.

ISBN 978-85-7244-487-3

1. Guerra Mundial, 1939-1945 - Alemanha 2. Guerra Mundial,
1939-1945 – Campanha – África do Norte 3. Rommel, Erwin,
1891-1944 I. Título

10-07071	CDD-940.4144092

Angelica Ilacqua CRB-8/7057

Índice para catálogo sistemático:
1. Generais : Alemanha : Biografia   940.4144092

2025

EDITORA CONTEXTO
Diretor editorial: *Jaime Pinsky*

Rua Dr. José Elias, 520 – Alto da Lapa
05083-030 – São Paulo – SP
PABX: (11) 3832 5838
contato@editoracontexto.com.br
www.editoracontexto.com.br

SUMÁRIO

INTRODUÇÃO

Escrever sobre um grande homem nem sempre é tarefa fácil. Principalmente quando esse homem é um guerreiro, um soldado. O desempenho de sua profissão envolve guerra, morte, destruição e sofrimento imposto a seus adversários. Mas o que se pode falar quando são seus próprios adversários que reconhecem nele retidão de caráter, cavalheirismo, além da admiração pelas virtudes marciais como coragem pessoal, capacidade de liderança e habilidade tática que apresentou no desempenho de sua função?

Pois o marechal de campo Erwin Johannes Eugen Rommel foi um dos poucos homens que receberam generosos elogios tanto de seus adversários como de seus comandados. Ao longo da Segunda Guerra Mundial, especialmente na campanha do norte da África, o marechal teve seu nome transformado em mito, em uma lenda que lhe conferia superpoderes e que se equiparava ao poder de divisões inteiras. Um comandante não adquire essa reputação por nada.

Erwin Rommel transformou-se no general alemão mais conhecido da Segunda Guerra Mundial. A Alemanha produziu muitos generais implacavelmente eficientes. Mas ele destacou-se, em parte pela máquina de propaganda do regime nacional-socialista, mas muito mais por ter conseguido superar a rigidez inata da mentalidade militar e por ter se tornado um mestre da arte da improvisação.

Como recompensa por suas vitórias, Hitler o promoveu seguidamente e o transformou no mais jovem marechal de campo do Exército.

Por 18 meses, enfrentando condições adversas, com escassez de suprimentos e de combustível, liderou um exército contra um inimigo numericamente superior e que possuía amplos recursos. Afinal vencido, soube conduzir seu exército como uma força combatente coesa, em uma retirada de mais de 3.600 km, sem jamais ter sido isolado pelos perseguidores.

E no comando das forças alemãs na França, em 1944, propôs o único plano capaz de derrotar a invasão dos Aliados, dadas as circunstâncias.

Diferentemente da grande maioria dos generais das Forças Armadas Alemãs, a Wehrmacht, Rommel tinha coragem de criticar Hitler abertamente pelos erros de sua liderança. Em 15 de junho de 1944, chegou até mesmo a exigir que o Führer abrisse mão do comando supremo do exército.

Nunca se envolveu em atentados contra a vida de Hitler, nutrindo a esperança de que poderia persuadi-lo a celebrar uma paz em separado com os Aliados. A partir de 1943, Rommel teve que enfrentar um problema de consciência não resolvido. De um lado, o juramento de lealdade que fizera como soldado ao Führer e a obrigação de cumprir seu dever, de outro, a percepção da realidade militar que estava levando a Alemanha à completa ruína.

O ilustre soldado nunca soube da exata extensão do genocídio promovido pelo regime nacional-socialista, quer contra populações civis quer contra forças militares adversárias. Inteirado ocasionalmente da prática de crimes de guerra, sobretudo no *front* russo, culpava a camarilha do partido, não ao Führer pessoalmente. Foi um exemplo de virtude militar em sua forma mais acabada. A seu ver, dedicava-se apenas a servir à pátria; como a História provou, servia a um criminoso. Foi convencido pela propaganda do regime, assim como muitos alemães, de que o nacional-socialismo representava a volta das qualidades marciais de uma Alemanha enfraquecida e humilhada por sua derrota na Primeira Guerra Mundial, e dessa forma os objetivos de Hitler pareciam idênticos aos interesses alemães. Quando, afinal, se deu conta da dimensão da fraude, ocorreu uma mudança em seu comportamento que, forçosamente permaneceu incompleta. Por um lado, continuou a empenhar-se na defesa da pátria, enquanto por outro, desacreditou em sua liderança política. Foi forçado a tomar uma posição para a qual não fora treinado nem estava preparado. Essa foi a tragédia de Rommel.

Para traçar sua biografia, esta obra foi dividida em dez capítulos, de dimensões diferentes.

O primeiro trata de seu funeral e das reais circunstâncias de sua morte. O segundo aborda sua trajetória inicial, seu nascimento, aspirações juvenis, o alistamento no exército imperial. E, principalmente, sua atuação na Primeira Guerra Mundial, cujas lições apreendidas foram de suma importância para seu desenvolvimento profissional. O terceiro analisa sua trajetória profissional no período 1919-1933, sob a República de Weimar e sob a ascensão e afirmação do regime nacional-socialista. E o quarto trata de sua brilhante atuação como comandante operacional na campanha contra a França, em 1940.

Os capítulos quinto a oitavo abordam o período que se estende de fevereiro de 1941 a março de 1943, quando se dá a campanha africana sob seu comando. Foi exatamente em consequência do seu desempenho na África que se criou a lenda sobre Rommel. Por isso, esses capítulos são mais longos e pormenorizados.

O nono aborda o período de março de 1943 a outubro de 1944, especialmente seu tempo como comandante do Grupo de Exércitos B, a força alemã que se opôs à invasão aliada da França. E o décimo capítulo trata das relações entre Rommel, o homem, e Rommel, o mito.

Curtas bibliografia e filmografia a respeito de Rommel são apresentadas, juntamente com sua folha de serviço no exército trazendo suas sucessivas patentes, condecorações e uma listagem dos comandos que exerceu.

Julgou-se proveitoso para o leitor elaborar dois anexos. O primeiro sobre a organização militar divisional alemã, e o segundo sobre os blindados alemães, já que Rommel foi essencialmente um comandante de tanques.

Também foi elaborado um glossário com os termos técnicos do jargão militar e demais expressões alemãs pertinentes utilizados ao longo do texto. Sempre que uma palavra aparecer pela primeira vez, será destacada em negrito para comodidade do leitor.

Seis mapas foram incluídos para dar ao leitor uma melhor compreensão dos fatos narrados. O primeiro refere-se à campanha da França em 1940. Os três seguintes retratam, respectivamente, a ofensiva de Rommel na Cirenaica, em abril de 1941; o ataque à Linha de Gazala, em maio de 1942; e a segunda Batalha de El Alamein, em novembro de 1942. O quinto traz a costa norte-africana desde a Tunísia até o Egito. E o sexto, o dispositivo defensivo alemão em junho de 1944, na França.

Sempre que possível procurou-se citar as palavras textuais dos protagonistas dos vários episódios, não tanto para dar veracidade ao texto, mas para reafirmar o lado humano dos personagens. Isso só foi possível dada a quantidade de material original disponível. Muitos generais alemães escreveram suas memórias após a guerra, ou foram entrevistados por oficiais aliados e tiveram seus depoimentos publicados. Os diários de alguns líderes do regime foram encontrados e dados à luz, como o de Joseph Goebbels, ministro do Povo e da Propaganda do Reich. Os autos dos julgamentos de Nuremberg trazem material inestimável sobre a Alemanha de Hitler, e também os arquivos do Alto-Comando das Forças Armadas (OKW), bem como do Alto-Comando do Exército (OKH), que foram capturados intactos pelas forças norte-americanas e fornecem uma visão pormenorizada das ordens, dos despachos e das instruções às tropas em luta nos mais diversos *fronts*.

Embora o único livro publicado pelo marechal Rommel, *A infantaria ataca* (*Infanterie Greift an*), seja um manual tático com as lições apreendidas na Primeira Guerra Mundial, sua esposa e seu filho compilaram todas as cartas que escreveu e as fizeram publicar no pós-guerra. Seu filho Manfred ainda prestou inestimável ajuda ao relatar as conversas que mantivera com o pai, especialmente em seus últimos dias.

Também o capitão sir Basil Liddell Hart recolheu e organizou as anotações quase diárias feitas por Rommel no diário que ele mantinha e as publicou sob o título de *The Rommel Papers*. E ainda, Desmond Young, oficial britânico aprisionado pelas forças alemãs na África e autor de uma biografia sobre Rommel, publicou uma série de documentos inéditos em que o marechal analisa aspectos da campanha africana.

Espero que o leitor deste livro fique tão entusiasmado quanto o autor ficou ao retratar esse grande general da História.

UM FUNERAL

No noticiário das 20h de 15 de outubro de 1944, a rádio Berlim anunciou: "O marechal de campo Erwin Rommel faleceu ontem em consequência dos sérios ferimentos que sofreu num acidente de automóvel, durante uma viagem à frente de **batalha**, como comandante em chefe de um grupo de exércitos na Frente Ocidental. O **Führer** ordenou que lhe sejam prestadas solenes honras fúnebres nacionais".

Milhões de alemães sustiveram momentaneamente a respiração e expressaram profunda emoção. O marechal mais popular da Alemanha, o soldado em quem muitos depositavam as últimas esperanças de um fim vitorioso para a guerra que se arrastava desde 1939, não mais existia. O luto e a incerteza quanto ao futuro apoderaram-se de seus corações.

O funeral deu-se com honras de Estado, a 28 de outubro, na praça do Conselho da cidade de Ulm, diante de uma multidão calada e comovida. O marechal de campo Gerd von Rundstedt, o decano dos oficiais do **Reich** em serviço ativo e ex-comandante de Rommel na França, pronunciou a oração fúnebre.

> Com sua morte, perdemos um dos nossos melhores comandantes de exército. Na luta fatídica que a Alemanha enfrenta atualmente, seu nome tornou-se um símbolo de bravura notável e de coragem indômita.
>
> Os dois anos de luta do **Afrikakorps** alemão sob seu comando hábil e imaginativo, contra um inimigo muito mais forte, deram-lhe as Folhas de Carvalho com Espadas e Diamantes para a Cruz de Cavaleiro da Cruz de Ferro, sendo o primeiro oficial do exército a alcançar tal honraria.
>
> Como comandante em chefe de um grupo de exércitos, ele continuou, até receber os ferimentos que o vitimaram, a servir de modo decisivo no fortalecimento de nossas defesas no Oeste. O exército desce a bandeira do Reich sobre o corpo desse grande soldado, com orgulho e tristeza. Seu nome passará à História do povo alemão.

Findo o discurso, von Rundstedt depositou sobre o féretro a coroa de louros que Hitler pessoalmente enviara ao marechal tombado. Sobre uma carreta de **artilharia** seguiu o esquife, ao som da "Canção do bom camarada", música de marcha do exército alemão, e sob o ribombar dos canhões que lhe prestavam as honras póstumas, rumo ao crematório.

Suas cinzas foram, posteriormente, depositadas no singelo cemitério de Herrlingen, aldeia próxima a Ulm, onde o marechal tivera sua residência.

Essa foi a versão oficial da morte do grande soldado, o espetáculo a ser visto e sentido pelo povo alemão, e principalmente para servir como exemplo a ser seguido.

Tudo não passou de uma grande farsa, encenada pelo regime nacional-socialista para reforçar a férrea determinação do povo alemão de obter a vitória a qualquer preço, sob a liderança inspirada de seu Führer, Adolf Hitler. A defesa da pátria, até a última trincheira, estava assegurada, mesmo que redundasse num fim digno do *Götterdammerung*.[1] Nas palavras de Joseph Goebbels, ministro do Povo e da Propaganda do Reich:"É melhor um fim no terror do que um terror sem fim". A verdade foi bem outra.

Rommel desiludiu-se paulatinamente com o regime nacional-socialista, apesar de ter sido um de seus generais mais aclamados, em razão de seu desempenho na **campanha** da França em 1940 e das vitórias alcançadas no norte da África em 1941-1942. Desiludiu-se, sobretudo, com as concepções estratégicas e as soluções **táticas** ordenadas por Hitler. Sem nunca ter pertencido ao partido nacional-socialista, gozava de grande popularidade na Alemanha, exclusivamente pelas suas qualidades marciais. Passou a testemunhar com frequência os rompantes frenéticos e irracionais de Hitler, sempre que alguém punha em dúvida a capacidade da Alemanha em vencer a guerra, ou mesmo criticasse sua condução. Em consequência, foi se convencendo de que a férrea determinação de Hitler de impor a "resistência a qualquer preço" rumo à vitória final redundaria na destruição total da Alemanha e no aniquilamento de seu povo.

Passou, pouco a pouco, a compartilhar a opinião corrente entre os aristocráticos generais alemães, oriundos em sua esmagadora maioria do antigo **Estado-Maior** Imperial e que podiam ostentar um "von" antes de seus sobrenomes, inequívoco sinal não só de nobreza, mas de dedicação por gerações à carreira das armas. Para eles, Hitler não passava de um "amador inspirado", sem quaisquer conhecimentos teóricos e mesmo práticos sobre a arte da guerra. O general von Rundstedt, o oficial que melhor representava essa velha Alemanha – refletida em sua tradição militar, noção de cumprimento do dever, seu estrito profissionalismo e profundo desprezo pelos estrategistas amadores –, referia-se a Hitler em particular como "o cabo da Boêmia",[2] alcunha que se popularizou entre seus pares.

Profissionalismo e patriotismo eram as vigas mestras do exército alemão. Na insuspeita opinião do analista estratégico inglês sir Basil Liddell Hart, "o capitão que os generais ouvem", os dois melhores exércitos do mundo foram "o Alemão, na Primeira Guerra Mundial, e o Alemão, na Segunda Guerra Mundial".

Sem pertencer à nobreza e sem ter servido no estado-maior, Rommel, um oficial que galgou as fileiras por seus méritos próprios, começou a discernir que o amadorismo de Hitler em questões táticas e sua ignorância completa em considerações estratégicas só poderiam levaria a Alemanha à ruína absoluta.

Seu filho Manfred narra uma conversa de dezembro de 1943, quando o marechal reproduziu uma declaração de Hitler que o deixara perplexo:"Se o povo alemão for incapaz de ganhar a guerra, então é melhor que apodreça". Manfred continua a narrar as confidências de seu pai: "Hitler sabia que perdera a guerra. No entanto, quanto mais desastres se davam e mais críticas lhe dirigiam tanto mais desesperadamente ele se agarrava a todas as esperanças e tentava persuadir-se da vitória. Por vezes, sinto que ele já não se encontra em seu juízo perfeito".

Educado rigidamente na secular tradição marcial europeia, o marechal encontrava-se bastante imbuído do princípio da obediência incondicional. Acrescente-se a isso o peso do solene juramento que cada soldado e oficial alemão foi obrigado a prestar individualmente, diante do estandarte de seu **regimento**, a partir de 1934: "Juro, em nome de Deus, prestar obediência incondicional a Adolf Hitler, líder da nação alemã e comandante supremo de suas Forças Armadas, e dar minha vida, se preciso for, para cumprir este juramento".

Rommel passou a concordar com a máxima que Napoleão havia exigido de seus generais – que em momentos decisivos da história, a ideia política deve prevalecer sobre a militar. Ele não era um "general de obediência submissa", nem um "general de missões especiais" para ser enviado à frente por Hitler para sanar situações críticas. Ele se voltou para o Código de Honra do Exército Imperial, elaborado pelo marechal Helmuth von Moltke, que colocava o sentimento humano acima do dever militar, o homem acima do princípio.

E mais do que tudo, buscou inspiração nas próprias palavras de Hitler, impressas em sua obra *Mein Kampf:* "É dever da diplomacia preservar a existência de uma nação, e não, conduzi-la, heroicamente, à destruição. Todos os meios são justos para a consecução deste objetivo, e qualquer negligência deve ser considerada crime irreparável". O contraste entre essas palavras e os atos do Führer não poderia ser mais flagrante. Impunha-se agir pela sobrevivência da Alemanha.

Assim, em que pese o solene juramento prestado, a sobrevivência da Alemanha e de seu povo impunham uma solução radical. O marechal chegou à inevitável conclusão de que era preciso remover Hitler da chefia do governo.

Tentaria ainda persuadi-lo a por fim à guerra, através de representações pessoais e escritas. Contudo, se todos os recursos estivessem esgotados, pelo bem do povo alemão, ele aceitaria o pesado ônus da responsabilidade, e sentir-se-ia liberado de seu juramento de lealdade.

Curiosamente, Rommel passou a defender com vigor a ideia de que era dever de todos os patriotas, em especial dos oficiais que combatiam em defesa da pátria, rapidamente pôr um fim à guerra no Ocidente.

O irônico, nesse caso, é a identificação que o marechal fazia com a concepção nacional-socialista de uma "ampla cruzada europcia contra o **bolchevismo**". Em princípios de 1943, Finlândia, Eslováquia, Hungria e Romênia estavam lutando ombro a ombro com a Alemanha contra os russos; a Itália enviara uma grande formação (8º Exército); a Espanha disponibilizara uma forte unidade (Divisão Azul); e havia massivos recrutamentos por toda Europa ocupada, por parte das ss, de unidades de voluntários para combater na Frente Leste.

Possivelmente, a concepção política do dever de "salvar a Europa do bolchevismo" era um ideal muito arraigado no exército alemão.

Rommel acalentava a ideia de que os **Aliados** (norte-americanos e britânicos) fossem preferir celebrar um armistício com uma Alemanha sem Hitler e operar a junção de suas forças num combate contra o comunismo, a ver a União Soviética apoderar-se de toda Europa Oriental e mesmo partes da Ocidental. Um armistício com o Ocidente, a custa de grandes concessões, deixaria a Alemanha com as mãos livres no Leste, para empenhar-se na guerra contra a União Soviética, até conseguir a derrota definitiva do regime comunista, o que deveria ser, em última análise, do interesse dos demais países capitalistas.

Tratava-se de uma concepção pueril, até mesmo ingênua, supor que os Aliados concordassem com tais ideias, uma vez que na Conferência de Casablanca, no norte da África, em janeiro de 1943, eles haviam passado a exigir a "capitulação incondicional" da Alemanha para pôr um fim à guerra. O presidente norte-americano Franklin D. Roosevelt declarara:

> Capitulação incondicional não significa o aniquilamento do povo alemão, mas a destruição de uma ideologia baseada na conquista e dominação de outros povos. Não haverá nenhuma paz negociada, nenhuma contemporização com o nazismo, nenhuma escapatória que possibilite o aparecimento de um novo Hitler.

Na verdade, a Fórmula de Casablanca, como a declaração ficou sendo conhecida, revelou-se inadequada e contraproducente para um final rápido da guerra, dado dois pontos básicos.

Primeiro, fez com que se fortalecesse a concepção nacional-socialista de guerra total, com a mobilização integral dos recursos econômicos, científicos e demográficos alemães, com toda a nação cerrando fileiras em torno de sua defesa, empenhando-se, ao custo de quaisquer sacrifícios, a assegurar a vitória final. Isso fez com que os opositores do regime temessem ser identificados, aos olhos da maioria dos compatriotas, como traidores tentando solapar a estrutura do Estado numa hora em que todos deveriam unir-se em prol de sua defesa. Temiam, mais que tudo, ser identificados com os políticos de 1918, que, solicitando um armistício aos Aliados, obrigaram a Alemanha à rendição.

Segundo, também fragilizou essa oposição, que só poderia obter sucesso através de um golpe de Estado. Tal golpe só teria sucesso duradouro se depois não lhe fosse negada, e a uma Alemanha transformada, o direito a uma paz razoável; pois do contrário o governo criado pelo levante não poderia insistir no prosseguimento da guerra, mesmo contra os russos. Não estaria seguro contra uma reação armada por parte das SS, e mesmo popular, que inevitavelmente viria. O espectro de uma guerra civil desenhava-se com nitidez no horizonte.

Mesmo levando em conta tais implicações, a oposição ao nacional-socialismo, que existia em caráter embrionário desde 1934, agrupando alguns militares de alta patente e líderes civis, tornara-se a cada dia mais atuante e abrangente com o desenrolar da guerra, mormente após os seguidos reveses sofridos pelo exército alemão.

No período 1942-1943, não se pôde contabilizar nenhuma vitória estratégica alemã. No Leste, a derrota de Stalingrado custara mais de 250 mil soldados alemães, entre mortos e prisioneiros; e o fracasso da ofensiva de Kursk pôs em perigo toda a Frente Oriental, que só pôde se estabilizar ao longo do rio Dnieper, após longa retirada, próximo do ponto de partida da ofensiva alemã em 1941, à custa de outros 250 mil homens. No Mediterrâneo, os Aliados expulsaram as forças do **Eixo** do norte da África, com a captura de 130 mil soldados alemães; a ilha da Sicília fora ocupada; e a própria Itália invadida com sucesso, o que acarretou a capitulação do exército italiano e obrigou a Alemanha a enviar um novo grupo de exércitos para assegurar a defesa da península.

Os conspiradores usaram os argumentos óbvios de uma derrota militar que se poderia postergar, mas não adiar, para procurar, com sucesso, atrair o maior número de oficiais graduados para sua órbita. Curiosamente, os oficiais contatados serviam na Administração Geral do Exército e no Exército de Reserva, que se sediavam na Alemanha ou exerciam comandos na Frente Ocidental. No Leste, onde a luta contra os russos era mais acirrada, relativamente poucos contatos foram feitos.

De qualquer forma, esposavam a firme crença de que deveriam livrar-se de Hitler para assegurar a sobrevivência da Alemanha.

No entanto, para obter o indispensável apoio popular, era essencial envolver aqueles que gozavam de prestígio junto ao povo. O marechal de campo Erwin Rommel era indubitavelmente o general mais popular e mais respeitado em toda Alemanha, em razão das grandes qualidades pessoais e militares que detinha. Assim, um Rommel cada vez mais desiludido com a postura irracional de Hitler, e mais preocupado com o futuro de sua pátria, foi abordado pelos conspiradores pela primeira vez em fevereiro de 1944.

Em uma reunião em sua casa, em Herrlingen, o dr. Karl Strölin, prefeito de Stuttgart, seu velho companheiro de armas durante a Primeira Guerra Mundial e também, como Rommel, originário do estado de Württemberg, pôs o marechal a par da conspiração que se tramava. Foi enfático ao afirmar que enquanto Hitler estivesse à frente da Alemanha, os Aliados jamais chegariam a qualquer acordo político. Até que se operasse sua destituição não se poderia esperar qualquer política nova com relação à Alemanha.

A questão do afastamento de Hitler do poder foi longamente debatida. Inteirando-se dos planos e complôs anteriores para o assassinato do ditador, Rommel não se deixou empolgar. Não concordava com a ideia de uma execução sumária, dada a tendência de transformar a vítima em mártir. Preferia que o Führer fosse deposto, com o apoio de um regimento **Panzer** de confiança, e submetido a um julgamento, em que se mostraria ao povo alemão a destruição inútil causada pelo seu líder. Mesmo confrontado pela ponderação de que o maior perigo na remoção de Hitler era a sublevação popular quase inevitável, a que se acrescentaria a reação armada das ss, o marechal não vacilou em sua convicção.

Finalmente, diante da afirmação de Strölin: "Você é nosso general mais respeitado e, no exterior, você é mais respeitado do que qualquer um de nossos comandantes. Você é o único que pode impedir a guerra civil na Alemanha. Você tem que emprestar seu nome ao movimento", Rommel, após meditar por alguns momentos, declarou: "Creio ser meu dever sair em socorro da Alemanha".

As palavras de Rommel foram entendidas como sendo um acordo tácito. Ficou subentendido entre os conspiradores que ele aceitaria o encargo de ser o comandante em chefe do exército, e mesmo assumiria o posto de chefe interino do novo governo, que se instalaria na Alemanha pós-Hitler.

Nem uma palavra lhe foi revelada acerca do novo complô que se tramava contra a vida do Führer, que redundaria no atentado de 20 de julho de 1944.

Em decorrência da entrevista, Rommel, com a aquiescência e apoio de seu subordinado de maior confiança, general Hans Speidel, chefe do estado-maior do Grupo de Exércitos B, que compartilhava das suas concepções, passou a contatar vários oficiais comandantes, a fim de discutir o futuro da Alemanha. Entre eles, os generais Alexander von Falkenhausen e Karl Heinrich von Stülpnagel, respectivamente governadores militares da Bélgica e da França, seus velhos companheiros da Escola de Infantaria de Dresden.

Suas ideias podem ser assim resumidas:

1. Até a invasão da França pelos Aliados, a única frente ativa da Alemanha era no Leste. Um golpe de estado poderia motivar o colapso dessa frente, e permitir que os russos se apoderassem da Europa Central sem que os Aliados se encontrassem em condições de detê-los.

2. Na primavera de 1944, não existiam ainda condições psicológicas para uma revolta militar em larga escala, pois as tropas e a maior parte dos oficiais que se encontravam na França estavam convencidas de que os Aliados poderiam ser repelidos, enquanto os que se encontravam a leste acreditavam que os russos seriam detidos pelas novas armas (caças a jato, tanques pesados e armas secretas), que a propaganda não cessava de anunciar.

3. Se a Alemanha conseguisse de fato repelir a invasão, os Aliados recuariam na Fórmula de Casablanca, com medo de que a Rússia ocupasse toda a Europa ou que a Alemanha lançasse nova ofensiva contra os russos. Essa era a última oportunidade de impor uma paz com condições ao inimigo, e uma oportunidade que a Alemanha não poderia perder em hipótese alguma.

Portanto, a invasão aliada da França deveria ser decididamente repelida, para que o Ocidente, diante do fato consumado de sua derrota, aceitasse a ideia de combater o comunismo ao lado de uma Alemanha renovada.

"Sonho de uma noite de verão", mas sonho que Rommel procurou transformar em realidade.

E a esse objetivo aferrou-se o marechal com todas as suas forças. Sua determinação em assegurar a defesa da França, com o fortalecimento contínuo da "Muralha do Atlântico", até então uma mera peça de propaganda; a execução das medidas destinadas a impedir o sucesso de um desembarque aeroterrestre, com a distribuição de numerosos postes altos munidos de granadas interligadas, nas zonas de **retaguarda**; a crescente instalação de campos minados, com mais de 5 milhões de minas posicionadas, junto com a colocação de cerca de 517 mil obstáculos diretamente nas praias; e seu empenho em colocar as divisões Panzer o mais próximo possível das zonas de desembarque a fim de impedir a consolidação das **cabeças de ponte** aliadas mediante um contra-ataque maciço, não vacilou um minuto.

A despeito da frequência com que chegavam ordens, contraordens e diretrizes operacionais irracionais, despejadas pelo sistema de comunicação de Berlim, ele entregou-se com lealdade e profundo empenho à tarefa imediata de repelir a invasão.

Seu plano para se opor à invasão visava reduzir o êxito inicial do adversário, que contava com grande superioridade aeronaval e com a vantagem de poder concentrar suas forças terrestres em um **ponto focal**. "A invasão deverá ser detida nas praias. As primeiras 24 horas serão cruciais. Este será o mais longo dos dias", eram as palavras que traduziam a concepção estratégica de Rommel.

Uma vez vencida a batalha contra os Aliados, com a invasão repelida, o marechal buscaria uma paz negociada com o Ocidente e ordenaria a prisão de Hitler para conduzi-lo perante um tribunal alemão.

Daí em diante, e até que se alcançasse o fim almejado, Rommel teve que palmilhar um duplo caminho, comportamento completamente avesso à sua formação. Obrigado a combater em dois planos diametralmente opostos, procurou desempenhar-se a contento em ambos. Tudo fez para retardar o máximo possível a derrota inevitável, quando encarnou o chefe militar que procura com todas as suas forças deter o inimigo; e concedeu tempo para que se tirassem as lógicas conclusões políticas e agissem, quando encarnou um homem que, sentindo-se responsável pelo seu povo, aguarda o momento em que precisará salvá-lo.

Rommel, em conversas com os generais Speidel e von Stülpnagel, chegou mesmo a aprovar um rascunho do que seria um memorando de armistício a ser apresentado aos Aliados. Ao mesmo tempo, o fortalecimento da Frente Francesa prosseguia com o máximo empenho.

Fatidicamente, todos os acontecimentos escaparam ao planejado.

Os Aliados desembarcaram nas praias da Normandia em 6 de junho, bem cedo, com a maré baixa. A reação alemã foi lenta. O próprio Rommel encontrava-se em sua casa de Herrlingen para comemorar o aniversário de sua esposa. Ausentara-se na véspera, confiando em informações meteorológicas adversas. Lê-se em seu diário: "5-8 de junho de 1944. O receio de uma invasão durante este período diminuiu pelo fato de as marés não serem favoráveis e sobretudo por não ter havido muitos reconhecimentos aéreos".

A partir de 9 de junho, firmemente instalados no continente numa cabeça de ponte contínua que alcançava 10 km de profundidade, os Aliados tomaram a iniciativa do combate. Os alemães já não mais atacavam em direção da costa para repeli-los, passaram a lutar para defender-se. Havia soado a hora decisiva da passagem para a defensiva.

Enquanto a situação na França deteriorava-se rapidamente, as ordens de Berlim eram sempre as mesmas: "Manter o terreno a qualquer custo. Não ceder um palmo. Nenhum recuo". Convencido da inutilidade de continuar a luta, Rommel chegou a indagar a Hitler numa conferência de comando em 28 de junho, de que modo ele pensava ainda vencer a guerra, ao que obteve a ríspida resposta que se ocupasse com seus próprios problemas.

Finalmente, a 15 de julho enviou um relatório final a Hitler, através da cadeia hierárquica de comando, em que expunha sem meias palavras a situação:

> Nessas circunstâncias, temos que esperar que, num futuro próximo, o inimigo conseguirá penetrar nossa tênue frente, [...] e adentrar profundamente a França. Os soldados, por toda parte, estão lutando heroicamente, mas a luta, por muito desigual, aproxima-se do fim. É urgentemente necessário que se tirem as conclusões adequadas desta situação. Como Comandante em Chefe do Grupo de Exércitos, sinto-me obrigado, por questão de dever, a falar claramente sobre este ponto.

Confidenciou ao general Speidel que dera a Hitler a última chance de agir. Se não o fizesse, então ele, Rommel, concluiria um armistício. Mas era tarde demais.

O drama que se desenrolava a Oeste atingiu seu auge.

Em 17 de julho, quando retornava de uma visita de inspeção ao grupo Panzer Oeste, aviões de **caça** britânicos metralharam seu carro de comando, fazendo-o capotar. Por uma ironia do destino, o acidente ocorreu nas vizinhanças da aldeia de Sainte-Foy-de-Montgomery.[3] Os ferimentos de Rommel foram tão sérios que se chegou a pensar que ele não sobreviveria. Com fratura dupla de crânio, um maxilar fraturado e ferimentos generalizados, foi levado para um hospital de campanha, nos arredores de Paris.

Enquanto estava hospitalizado, sem que ele soubesse, os conspiradores tentaram assassinar Hitler. Partiram da premissa básica de que o êxito do atentado contra sua vida era a única forma de desvincular todos os militares do juramento pessoal de fidelidade.

O coronel conde Claus von Stauffenberg, chefe do estado-maior do exército de reserva, transportou uma bomba-relógio em sua pasta para uma conferência no **Q-G** do Führer, em Rastenburg. Posicionou-a debaixo da grande mesa de conferências, para que explodisse em poucos minutos, enquanto se ausentava, chamado por um pretenso telefonema.

A força da explosão foi absorvida pelo grosso caibro que servia de suporte para a mesa, tornando-a menos mortífera. Também as frágeis tábuas de madeira da construção, improvisada para que os ocupantes pudessem suportar o sufocante calor do verão, cederam ao primeiro impacto e fizeram voar o telhado, amortecendo as ondas de choque. Quatro pessoas haviam morrido, mas Hitler recebera apenas ferimentos leves. O atentado de 20 de julho fracassara.

Como fracassou também a tentativa dos conspiradores em tomar as rédeas do governo. Na chamada Operação Valquíria, que se seguiria à morte de Hitler, o exército deveria assumir o poder executivo na Alemanha, procedendo à nomeação emergencial de autoridades militares e à ocupação de todas as posições-chave do governo. Com boatos contraditórios sobre a morte do Führer, o movimento golpista sofreu uma súbita paralisação, com os oficiais comandantes recusando-se a agir sem uma clara confirmação do ocorrido. No Ministério do Exército, onde os conspiradores se reuniam, acumulavam-se interpelações, boatos desencontrados, críticas e, sobretudo, a incapacidade de agir prontamente em uma emergência. O *momentum* do golpe passara.

Seguiu-se a sede de vingança por parte de Hitler. A onda de prisões atingiu sete mil pessoas; e a execução por enforcamento de numerosos oficiais superiores, inclusive generais alemães, por traição ao juramento de fidelidade prestado, tornou-se constante.

O general von Stülpnagel, interrogado em seu leito de morte, pronunciou o nome de Rommel. A conclusão inevitável seria tirada.

Contrariando as expectativas médicas, Rommel recuperou-se, embora lentamente, dos ferimentos sofridos. No dia 3 de agosto, a rádio informou de modo conciso que ele fora vítima de um acidente de automóvel na França. Foi transferido para sua casa em Herrlingen, a 8 de agosto, para completar a recuperação.

Havia um silêncio opressivo no Q-G de Berlim, e ele logo percebeu que sua casa estava sob severa vigilância policial.

Em conversa com seu filho Manfred, desabafou:

> Stauffenberg estragara tudo, um soldado de primeira linha teria acabado com Hitler [...]. O atentado contra Hitler foi estúpido. O que devíamos recear neste homem não eram seus atos, mas a aura que o cercava aos olhos do povo alemão. A revolta não devia ter início em Berlim, mas no Ocidente. Que podíamos nós

esperar alcançar com ela? A esperada ocupação americana e britânica da Alemanha transformar-se-ia numa marcha sem oposição, os ataques aéreos cessariam e os americanos e os ingleses manteriam os russos fora da Alemanha. Quanto a Hitler, o melhor que se poderia ter feito era apresentar-lhe um fato consumado.

Em 7 de outubro, Rommel recebeu uma ordem para apresentar-se ao Q-G de Berlim, aparentemente para discutir uma nova nomeação para a Frente Leste, a única em que não havia atuado. Recusou-se, alegando seu precário estado de saúde para empreender uma viagem tão longa.

"Jamais chegaria lá vivo", confidenciou a seu ajudante de ordens.

Numa visita a seu velho amigo e companheiro de regimento, tenente-coronel Oskar Farny, a 12 de outubro, falou claramente: "Estou correndo um sério perigo. Hitler deseja livrar-se de mim. Seus motivos são o ultimato que lhe enviei no dia 15 de julho, as opiniões sinceras e honestas que sempre apresentei, os acontecimentos de 20 de julho e os relatórios do Partido e da Polícia Secreta. Se algo ocorrer comigo, peço-lhe que se encarregue do meu filho".

Fora premonitório.

Em 14 de outubro, recebeu em Herrlingen os generais Wilhelm Burgdorf e Ernst Maisel, encarregados das apurações militares do atentado, que em uma reunião particular lhe comunicaram os termos de Hitler. Acusado de alta traição por seu comprometimento no atentado de 20 de julho, bem como por ser o indicado para futuro chefe de estado, se o complô obtivesse sucesso, Rommel teria uma escolha. Ou iria a Berlim para se submeter a um Tribunal Popular ou se suicidaria.

Se escolhesse a primeira alternativa, seria obviamente condenado à morte como traidor e sua família iria para um campo de concentração. Se a escolha fosse a segunda, os generais asseguraram-lhe que o Führer autorizaria um funeral com honras de Estado e que sua família estaria a salvo. Ele tomou sua decisão.

Imediatamente após a entrevista, o marechal comunicou à esposa e ao filho: "Vim despedir-me. Dentro de 15 minutos estarei morto".

Envergando seu uniforme do Afrikakorps e empunhando seu bastão de marechal de campo, embarcou no carro com os generais. À pequena distância de casa, ingeriu a cápsula de veneno que lhe fora entregue. Chegou morto ao hospital de Ulm, onde um atestado de óbito manipulado apontou a causa de sua morte como "um ataque de embolia".

Completara-se a grande farsa. O marechal de campo mais popular da Alemanha morrera no cumprimento do dever, em defesa da pátria.

Rommel não poderia mais impedir o *Götterdammerung*.

NOTAS

[1] Literalmente, o *"Crepúsculo dos deuses"*. Última das óperas que compõem a tetralogia O *Anel do Nibelungo* (*Der Ring des Nibelungen*), de autoria de Richard Wagner. Escrita em estilo grandiloquente, inspira-se em ancestrais mitos germânicos e narra o final apocalíptico de uma era com a destruição pelo fogo do *Wahalla*, a Morada dos Deuses.

[2] Adolf Hitler nasceu na pequena cidade fronteiriça de Braunau am Inn, província da Boêmia, então parte do Império Austro-Húngaro. Alistou-se como voluntário no exército bávaro na Primeira Guerra Mundial, tendo sido condecorado por bravura, com a Cruz de Ferro de Segunda e Primeira Classe. Alcançou apenas o posto de cabo, provavelmente em razão de sua origem.

[3] O marechal de campo inglês sir Bernard Montgomery foi o primeiro comandante, nos quatro anos de guerra, a conquistar uma vitória decisiva sobre Rommel, na Segunda Batalha de El Alamein.

OS PRIMEIROS PASSOS

"A guerra não é mais que a continuação da política por outros meios."
Carl Philipp Gottlieb von Clausewitz,
estrategista prussiano

Erwin Johannes Eugen Rommel nasceu em 15 de novembro de 1891, em Heidenheim, localidade próxima à cidade de Ulm, reino de Württemberg.[1] Foi o segundo filho de Helene von Lutz, filha mais velha do presidente do conselho de governo de Württemberg, e do também chamado Erwin Rommel, que, cumprindo a tradição familiar, era um mestre-escola que em 1899 fora nomeado reitor do Ginásio Real de Aalen.

O casal teve ainda três filhos, dois meninos e uma menina, Helene como a mãe. Karl, o primogênito, alistou-se no Exército atuando como piloto de reconhecimento aéreo; Gerhard, o caçula, tornou-se cantor de ópera.

Os Rommel personificavam a típica família alemã de classe média, sustentáculo do Império, cujos sonhos burgueses revelavam tanto sua força como sua fraqueza. A mentalidade burguesa alemã nutria uma admiração sem limites pelo sucesso social. Aspiração à nobreza dessa classe, ou pelo menos o desejo de tornar-se oficial da reserva, moldou as opiniões políticas do cidadão médio e levou-o à aceitação de uma monarquia semiabsoluta, pautada por um nacionalismo e um militarismo exacerbados.

A burguesia também buscava o sucesso econômico em meio à atmosfera esfuziante do império adolescente: inovações técnicas, industrialização acelerada, expansão do comércio, conquista de um império colonial, agressiva política externa e a construção de uma possante marinha de guerra. A política interna, por outro lado, era deixada a cargo dos funcionários públicos, dos burocratas, que primavam pela boa e ordeira administração. Dessa forma, logo o burocrata tornou-se o equivalente civil em *status* ao oficial no serviço militar. Gozavam ambos de enorme prestígio social e autoridade inconteste.

O Império Alemão, ou Segundo Reich, foi formado a partir do Reino da Prússia, que originalmente era visto como um posto avançado da civilização ocidental contra os bárbaros eslavos, tendo pavimentado seu caminho pela conquista.[2] E sua classe dirigente continuava a glorificar as virtudes militares medievais de coragem, abnegação, autossacrifício e disciplina, que haviam assegurado a sobrevivência da Prússia.

Essas virtudes guerreiras incorporaram-se ao imaginário burguês do Império a ponto de traduzir-se em um militarismo exacerbado, mas minimizado pela impressionante demonstração de seu poder e disciplina em favor da unidade nacional. O Império construiu-se a ferro e fogo, graças ao militarismo prussiano, o que lhe conferia um ar de dedicação.

Nas palavras de Karl Bracher, historiador e cientista político alemão:

> O tenente prussiano pavoneava pela terra como um jovem deus, o burguês tenente da reserva como um semideus. Para ingressar nas camadas mais altas do funcionalismo público, a pessoa tinha que ser, no mínimo, um tenente da reserva.

Dessa forma, o militarismo permeou a totalidade dos valores burgueses, paralelo a uma admiração ingênua e vaidosa do modo de vida prussiano. O resultado foi um desastroso estreitamento das perspectivas mentais e principalmente políticas, que explica muito da agressiva atitude do Império Alemão no trato com os demais países.

Assim, os três arquétipos oficialmente sancionados da sociedade alemã eram o sargento, o policial e o mestre-escola. Traduziam poder, ordem e disciplina, verdadeiras virtudes nacionais.

Em 1888, três anos antes do nascimento de Rommel, Guilherme II tornou-se kaiser. Decidido a exercer plenamente a autoridade que herdara, buscou manter a superioridade militar da Alemanha, para poder habilitá-la a arbitrar as questões de segurança que surgissem na Europa. Para tanto, voltou-se para a expansão do exército imperial, em particular de seu quadro de oficiais.

De acordo com o sistema de recrutamento vigente, à aristocracia, em especial a prussiana, cabia o preenchimento dos quadros do oficialato. Aos denominados *Junkers* – antiga nobreza com vastas propriedades fundiárias, que podia exibir antes do sobrenome o aristocrático "von" –, estavam reservados os postos de oficiais do exército. A nobreza os ocupava não só como um direito adquirido, mas como uma arraigada obrigação de dever para com a pátria.

Imbuído da necessidade de flexibilizar esse sistema, para permitir a desejada expansão do exército, o kaiser buscou no seio da burguesia, jovens que reunissem qualidades que os habilitassem a integrar o corpo de oficiais. Na sua Proclamação de março de 1890, dizia:

> A elevação do nível educacional do povo tornou possível a ampliação dos círculos sociais nos quais se pode buscar o recrutamento para o corpo de oficiais. Já não é mais apenas o título de nobreza que justifica o privilégio de fornecer oficiais ao exército; a nobreza de caráter sempre foi um apanágio do corpo de oficiais e deverá ser mantida sem arrefecimento. Mas isso só será possível se os cadetes forem recrutados em camadas da sociedade em que tal virtude seja cultivada como um ideal. O futuro do meu exército está, segundo entendo, nas mãos não só dos filhos das famílias nobres, e dos filhos dos meus dignos oficiais e funcionários públicos, mas também nas dos filhos de respeitáveis famílias burguesas em cujo seio foram cultivados o amor por seu rei e pela sua pátria, um sentimento ardoroso pela profissão das armas e um senso de moralidade cristã.

As tradições e a influência dos *Junkers* prussianos continuavam a prevalecer no oficialato, mas agora uma nova categoria de cadetes, vinda das fileiras da burguesia, encontrava espaço na carreira militar. A família intelectual de classe média provinciana dos Rommel não poderia se ajustar melhor às expectativas do kaiser.

Rommel foi uma criança pequena e pálida, de desempenho mediano na escola secundária, que demonstrava uma aptidão particular para a matemática. O alto padrão cultural familiar aliado ao interesse por valores espirituais que demonstrava devem ter influído decisivamente em sua formação intelectual.

No estimulante ambiente imperial de inícios do século XX, repleto de promessas, o jovem Erwin alcançou o fim da adolescência. Havia pensado seriamente em tornar-se engenheiro aeronáutico, tendo, mesmo aos 14 anos, construído com um amigo um planador em tamanho natural. Mas cedendo à insistência de seu pai, abraçou a carreira das armas.

Aos 18 anos, em julho de 1910, após ter sido recusado pela Artilharia e pela Engenharia, foi aceito pela Infantaria, arma na qual se alistou como cadete no Regimento "Rei Guilherme I" nº 124, de Württemberg. Classificou a si próprio no formulário de admissão como "promissor, de confiança e bom ginasta".

Em um ano, Rommel alcançou o direito de entrar para a Escola Real de Oficiais Cadetes de Danzig (atual Gdansk, na Polônia), a prestigiosa **Kriegschule**. Lá imperava o nepotismo, de modo que os cadetes de origem burguesa deveriam trabalhar arduamente para sobressaírem-se. Para o jovem Erwin, a carga adicional tornou-se um aprendizado extra, nele desenvolvendo a grande capacidade de trabalho e de dedicação obstinada às tarefas que lhe eram confiadas.

A preocupação maior da Kriegschule à época era promover a "iniciação, verdadeiramente difícil, dos jovens nos princípios básicos da guerra, e por assim dizer, nos segredos da profissão [...] nosso objetivo maior é produzir aprendizes que, com o tempo e a prática, se transformarão em mestres". Consoante com esses objetivos, no currículo do curso constavam palestras sobre a posição singular dos oficiais na sociedade, que, devendo inteira lealdade ao kaiser, deveriam considerar-se guardiões do Estado. No manual oficial podia-se ler que "um lapso de memória acidental ou mesmo um erro sério de julgamento ou decisão podem ser perdoados; mas o procedimento em desacordo com o bom senso é a maior de todas as falhas; o descuido e a negligência são pecados piores que os erros".

Rommel, um cadete aplicado, absorveu tudo isso cuidadosamente. Recebeu a patente de segundo-tenente em janeiro de 1912, regressando a seu regimento de origem.

Durante sua permanência em Danzig, conheceu a jovem Lucie Maria Mollin, filha de um proprietário de terras prussiano. Tendo os dois se apaixonado, firmaram um compromisso, que se manteve por toda sua atribulada vida.

Os dois anos que passou no regimento, em Weingarten, basicamente treinando recrutas, pouco deixaram antever sua grande inclinação para a liderança. Entregue à rotina diária do quartel, dedicava-se com afinco às suas obrigações. Não bebia e não fumava, nem participava das diversões noturnas na pequena cidade, por conta de seu noivado com Lucie, o que não lhe granjeou a simpatia dos demais oficiais.

Passou brevemente pelo 49º Regimento de Artilharia, retornando ao seu às vésperas da Primeira Guerra Mundial, em agosto de 1914.

A profecia de Otto von Bismark, chanceler da Prússia e arquiteto da unificação imperial, "uma loucura nos Bálcãs, deflagrará a próxima guerra", cumpria-se. O assassinato do herdeiro do trono austro-húngaro, arquiduque Francisco Ferdinando, por nacionalistas sérvios, em 28 de junho, satisfazia essa condição.

A Áustria-Hungria, com a frivolidade belicosa dos impérios decadentes, decidiu aproveitar a ocasião para absorver a Sérvia, confiante em sua aliança com a Alemanha. A Rússia, por seu lado, apoiou os sérvios, seus aliados balcânicos. Os acontecimentos precipitaram-se e escaparam ao controle: bombardeio austríaco sobre Belgrado, capital sérvia, em 29 de julho; mobilização tanto austríaca quanto russa em 30 de julho; ultimato alemão à Rússia, em 31 de julho, e à França, em 2 de agosto.

A grande guerra europeia, que se transformaria em guerra mundial, havia se iniciado.

O plano estratégico alemão elaborado pelo conde Alfred von Schlieffen, chefe do Estado-Maior Imperial, previra a eventualidade de uma guerra em duas frentes, a oeste contra a França e a leste contra a Rússia, privilegiando o inimigo francês.

Previa a ampla **concentração** das forças alemãs no Ocidente, que evitando a poderosa linha de fortificações francesas e cobrindo os flancos com efetivos de contenção determinados, realizaria uma gigantesca manobra em arco, com cinco exércitos avançando através da Bélgica, e colheria os exércitos franceses numa enorme tenaz, que se fecharia às suas costas, na fronteira franco-alemã. Em apenas seis semanas se concretizaria uma decisiva vitória sobre a França, com a ocupação do centro-norte do país, de sua capital, e a destruição de seus exércitos.

Isso feito, os exércitos alemães seriam transferidos para leste, a fim de lidar com os russos, notoriamente lentos em desenvolver seu dispositivo militar.

A violação da neutralidade belga que poderia fazer a Grã-Bretanha entrar na guerra contra a Alemanha, como de fato o fez, foi considerada pelo Estado-Maior Imperial "um obstáculo sem importância".

O 124º Regimento de Infantaria de Württemberg foi incorporado na 27ª Divisão do 5º Exército, no centro da linha alemã e marchou para firmar uma posição de **bloqueio** ao longo do rio Mosa.

Nos duros combates que se seguiram na floresta de Argonnes, o jovem oficial fez jus à Cruz de Ferro de 2ª Classe, no dia 30 de setembro, em um episódio por ele narrado:

> Um pequeno grupo de ex-recrutas meus acompanhou-me através da vegetação rasteira. Finalmente, a uns 20 passos à frente, vi cinco franceses, que em pé disparavam. Engatilhei de imediato a arma. Dois franceses, um atrás do outro, caíram no chão, quando meu fuzil disparou. Eu ainda enfrentava três deles quando senti que meus homens buscavam abrigo atrás de mim, aparentemente sem poder ajudar-me. Tornei a disparar. O fuzil falhou. Abri o depósito de cartuchos, encontrando-o vazio. A proximidade do inimigo não me dava tempo para recarregá-lo, tampouco havia abrigo por perto. A baioneta era a minha única esperança. Quando ataquei, o inimigo atirou. Atingido, caí e rolei alguns metros em sua direção. Esperava, a qualquer momento, uma bala ou um golpe de baioneta. Finalmente meus homens saíram dos abrigos disparando, e o inimigo recuou.

Após um breve período de convalescência, Rommel reassume suas funções, tendo recebido o comando de uma companhia do regimento. Escreveu:

> Para um oficial de 23 anos, não há tarefa melhor que a de comandante de companhia. A conquista da confiança dos homens exige muito de um comandante. Em princípio, ele deve demonstrar interesse pelos problemas de seus comandados, procurando viver suas dificuldades, sem descurar da disciplina. Mas, uma vez conquistada a confiança dos homens, eles o seguirão até o inferno.

Apesar de ter chegado muito próximo da vitória, a ofensiva alemã foi incapaz de derrotar a França. Com o advento do inverno, chegou-se à lenta e agonizante paralisação da guerra de trincheiras, que se estendiam ininterruptamente da Suíça ao canal da Mancha, impondo aos beligerantes uma guerra de posição e de atrito. Os alemães dominavam a Bélgica e todo o norte da França, até o rio Aisne. Apoiados num complexo de trincheiras cada vez mais profundo e articulado, resistiram às seguidas tentativas de franceses e ingleses de desalojá-los, até março de 1918.

A guerra na Frente Ocidental reduziu-se a um "moedor de carne" que absorveu munições, energia, dinheiro e, principalmente, homens treinados numa escala nunca antes vista.

O assalto a uma posição fortificada francesa bem defendida para testar sua solidez, levada a efeito por uma patrulha ofensiva da companhia comandada por Rommel, em março de 1915, dá uma clara ideia da feição que a guerra assumira a ocidente. No desenrolar do **ataque**, o contingente viu-se imobilizado pelo fogo inimigo. Em suas próprias palavras:

> o comandante do primeiro pelotão perdeu a calma e não fez nada, e o resto da companhia o imitou e lançou-se ao chão. Encontrei outra passagem através dos obstáculos e juntei-me sorrateiramente ao restante da companhia, ordenando ao comandante que ele ou obedecia às minhas ordens, ou seria fuzilado ali mesmo. Ele preferiu a primeira alternativa, e o ataque pôde prosseguir.

Penetrando em profundidade nas defesas francesas, a companhia encontrou-se isolada e duramente pressionada por contra-ataques em ambos os flancos. A ordem superior de retirada, ainda que bem-sucedida, implicaria graves perdas; Rommel optou por liderar um vigoroso ataque, que causou surpresa, resultando na fuga dos franceses.

Os ataques de atrito e as patrulhas ofensivas eram a norma; assim, as grandes ofensivas frustraram-se em sangue e lama na tentativa direta de romper a linha principal de defesa alemã, que se alicerçava em uma posição sucessiva de trincheiras inexpugnáveis.

Por essa demonstração de clareza de raciocínio diante de uma situação adversa, chegando até mesmo a desobedecer a ordens superiores,[3] Rommel obteve, em março de 1915, a Cruz de Ferro de 1ª Classe.

O jovem oficial demonstrou possuir todas as qualidades necessárias para o exercício do comando, e desenvolveu uma habilidade tática particular. Liderava sempre à frente, nunca à retaguarda. Expunha-se aos perigos com seus homens e, mais importante, estava apto a tomar decisões no calor da batalha e a reagir às surpresas que se apresentassem, num padrão tático inovador, que contrapunha a ousadia dos ataques à necessária cobertura das demais forças. Ele operava no limite, seus avanços eram sempre ousados, mas os resultados compensadores.

Em setembro de 1915, foi promovido a primeiro-tenente e destacado para o Württembergische Gebirgsbattaillon (Batalhão de Montanha de Württemberg), em que se descortinavam perspectivas bem mais amplas para os talentos que demonstrava possuir.

O BATISMO DE FOGO

O Gebirgsbattaillon era uma unidade de elite do exército alemão. Não deveria combater como uma formação coesa, mas em destacamentos independentes aos quais eram assinalados objetivos específicos, normalmente na retaguarda do inimigo, dando-se a seus comandantes ampla liberdade de atuação.

Rommel era um jovem oficial com amplos conhecimentos táticos, e tinha agora a oportunidade de desenvolver todo seu potencial como comandante combatente, no desempenho de missões especiais. Tratava-se de liderar homens em batalha, tomar decisões que significassem sua vida ou sua morte, e fazê-los suportar grandes agruras sem que duvidassem do resultado final.

Foi seu batismo de fogo. Assumiu a dura tarefa de liderar veteranos, soldados que, tendo sobrevivido à experiência traumática da primeira batalha, enfrentavam as demais com naturalidade e até com um ar de enfado.

Passou os primeiros três meses submetido a rigorosos treinamentos, enquanto se acostumava com seu novo comando, a Companhia n° 2, formada por 200 jovens vindos de vários regimentos do exército.

Desempenhou sua primeira missão a contento. A companhia foi incumbida da captura de prisioneiros franceses para interrogatório, tipificando uma operação muito mais complicada do que a de derrotar um número equivalente de inimigos.

Após uma **aproximação** furtiva, seus homens ultrapassaram as trincheiras francesas, irromperam à sua retaguarda e provocaram grande devastação com o lançamento de granadas, resultando na captura de 11 soldados.

Em outubro de 1916, em razão da entrada da Romênia na guerra contra as Potências Centrais, sua unidade foi transferida para o Leste.

À época da chegada, meio milhão de soldados romenos já haviam sido repelidos de volta a seu território, a crise havia passado e a Alemanha contra-atacava. Em um típico exemplo de aproximação indireta, a **estratégia** alemã consistia em posicionar a massa do exército frontalmente ao inimigo, enquanto uma força independente penetrava pelo flanco esquerdo dos romenos, rumo à sua retaguarda. Essa foi a posição designada para o batalhão alpino.

Gozando uma curta licença, Rommel casou-se em Danzig, em 29 de novembro, com Lucie Mollin, de quem ficara noivo quando ainda cursava a Kriegschule. Desse dia em diante, sempre encontrou na "Lu" das cartas o incentivo e a coragem para superar os dissabores, mormente nos últimos anos de vida.

Em dezembro já se encontrava novamente no *front*. Seu batalhão foi posto sob o comando do Corpo de Montanha, o **Alpenkorps**, e encarregado de limpar de soldados inimigos, romenos reforçados por russos, a quase intransponível área montanhosa entre os vales dos rios Slanical e Putna.

A ação que Rommel planejou e executou contra a aldeia de Gagesti, em janeiro de 1917, ilustra como suas concepções táticas no comando de forças de infantaria móvel haviam amadurecido.

Após uma aproximação cautelosa, os elementos de **vanguarda** travaram contato com o inimigo:

> Havíamos percorrido menos de 400 metros quando localizamos grande número de romenos ao lado norte da ravina, próximos de uma pequena casa. Seriam eles um posto avançado de combate? A despeito de vermos apenas uma carabina ao norte da ravina e quatro ao sul, avançamos para o inimigo e, gritando e agitando lenços, ordenamos que se rendesse. Os romenos não se mexeram nem atiraram; estávamos a trinta metros deles. Aproximamo-nos deles e os desarmamos; contei 30 prisioneiros.

O avanço prosseguiu durante a noite, sob um frio intenso, até a aldeia. Após constatar que não havia sentinelas à vista, Rommel ordenou o ataque de surpresa: todos os prédios foram tomados, e a guarnição de Gagesti, forte de quatrocentos homens, rendeu-se quase sem oposição.

O batalhão passou a primavera de 1917 em operações de treinamento na região montanhosa francesa dos Vosges, e no verão retornou à frente romeno-russa. Rommel comandava já metade do batalhão que a partir dos montes

Cárpatos deveria ser a ponta de lança numa ofensiva em direção ao flanco sul inimigo.

A batalha fluiu entre 10 e 20 de agosto, pela tomada do monte Cosna. Em uma operação preliminar, Rommel sofreu um ferimento no braço esquerdo.

> Eu estava enfraquecido pela perda de sangue. O braço firmemente envolvido em ataduras e o casaco sobre os ombros tolhiam-me os movimentos. Cheguei a pensar em entregar o comando, mas a difícil posição do destacamento levou-me a permanecer no posto.

Prosseguindo na luta, conduziu seus homens na manhã seguinte para uma posição de bloqueio, onde pôde explorar condições de fogo bem planejadas. O resultado foram 400 prisioneiros e 36 metralhadoras capturadas. Mas os efeitos do ferimento fizeram-se sentir:

> Estava tão exausto, possivelmente em razão das atividades emocionais dos últimos dias, que só poderia dar ordens deitado. À tarde, por causa da elevação da febre, comecei a balbuciar as coisas mais tolas, o que me convenceu de que não seria mais a pessoa indicada para o exercício do comando.

O testemunho de um suboficial que com ele serviu é eloquente: "Quando havia perigo, ele sempre estava em nossa frente, chamando-nos para segui-lo. Ele parecia não conhecer o medo. Seus homens o tornaram um ídolo e tinham fé nele".

Em outubro de 1917, já plenamente recuperado, Rommel incorporou-se novamente ao batalhão, que se transferira para a frente austríaca. A Itália, antiga aliada das Potências Centrais, entrara no conflito em 1915, a fim de recuperar seus territórios nacionais em poder do Império Austro-Húngaro.

A Frente Italiana estendia-se desde a fronteira suíça, a oeste, até o mar Adriático, a leste, num arco que atravessava a linha dos Alpes, e nos últimos 30 km acompanhava aproximadamente o curso do rio Isonzo. Ao longo de toda linha de frente, os austríacos controlavam os pontos de relevo superiores, significando que os ataques italianos teriam de ser morro acima, a menos que se combatesse ao longo do rio.

Essa foi justamente a escolha do comando italiano, com a adoção de uma estratégia que consistia em avançar através de uma série de saltos ofensivos.

Os austríacos seriam atacados com objetivos limitados, haveria uma pausa para consolidar a posição e reagrupar-se, seguida de novo salto à frente.

De 23 de junho de 1915 a 29 de agosto de 1917, os austríacos foram atacados 11 vezes, nas 11 Batalhas do Isonzo e, ao final, pouco mais de 12 km foram conquistados. O esforço ofensivo custou caríssimo aos italianos, mas as defesas austríacas foram pressionadas ao limite.

Lembrando-se do velho adágio militar, "a melhor defesa é o ataque", a Áustria pediu ajuda à Alemanha, para, numa ofensiva conjunta, aliviar a pressão que sofria e, talvez, conquistar uma vitória decisiva sobre a Itália.

A eficiente máquina de guerra alemã pôs-se em marcha. O 14º Exército Austro-Germânico, sob o comando do general Otto von Below, englobando seis divisões alemãs, inclusive o Alpenkorps, e nove austríacas, posicionou-se nos alpes Julianos, logo ao norte do rio Isonzo. Ele deveria inicialmente penetrar as defesas italianas entre as cidades de Tolmino e Caporetto e avançar até o rio Tagliamento, 60 km à retaguarda.

A Batalha de Caporetto, como ficou conhecida, iniciou-se a 24 de outubro com um bombardeio de gás sobre as baterias de artilharia e trincheiras avançadas italianas. Seguiram-se as primeiras penetrações alemãs e, na metade da tarde, uma brecha de 24 km havia sido aberta nas linhas inimigas.

Por essa brecha lançaram-se vários ataques em profundidade. Rommel narra a captura da cidade de Colovrat, no segundo dia da ofensiva:

> Somente quando estávamos a poucos metros deles é que os oficiais italianos se defenderam com revólveres. Também eles foram vencidos. Um batalhão inteiro, com 12 oficiais e mais de 500 homens, rendeu-se. Isso aumentou para 1.500 o número de prisioneiros que fizemos em Colovrat.

A rápida penetração alemã desequilibrara completamente os italianos, que se viram tomados por crescentes sentimentos de desânimo e desmoralização. Prosseguindo a ofensiva em direção ao pico do monte Mataujar, Rommel narra:

> A força defensora de repente começou a reagir e, no pânico que se seguiu, engolfou seus oficiais que ainda resistiam, levando-os de roldão colina abaixo. A maioria dos soldados largou as armas e correu, às centenas, em minha direção. Num instante, vi-me cercado e sobre os ombros dos italianos. "E viva

Germania!", bradaram mil gargantas. Um oficial italiano que hesitava em se render foi fuzilado por seus próprios homens.

A ofensiva austro-germânica provocara a fuga do 2° Exército Italiano:

> [...] 400 mil soldados estavam voltando para casa, com a convicção de que, pelos menos para eles, a guerra acabara. Os registros a respeito de seu comportamento são muito curiosos. Tendo perdido o contato com o inimigo, não estavam com pressa: paravam para comer, beber e pilhar. Um observador nota seu ar de "tranquila indiferença", outro observa que jogavam fora as armas mas conservavam as máscaras (contra gás).

A frente só se estabilizou ao longo do rio Piave, mais de 150 km à retaguarda, e a um custo de 600 mil soldados italianos, a maioria prisioneiros.

Nessa grande vitória, as forças sob o comando de Rommel haviam derrotado 5 regimentos, capturado 150 oficiais, 9 mil homens e 81 canhões.

A ação final de Rommel no teatro italiano foi a travessia do rio Piave, sob constante fogo inimigo, num bem-sucedido ataque à localidade de Longarone, onde capturou 8 mil prisioneiros, resistindo por 3 dias a ferozes contra-ataques.

Por suas ações, foi promovido a capitão e recebeu, a 10 de dezembro de 1917, a mais alta condecoração que um oficial alemão podia receber, a Pour Le Mérite. Criada em 1740 pelo rei da Prússia Frederico II e nomeada em francês, então a língua oficial da corte, não era normalmente concedida a oficiais com patente inferior a de general.

Em dezembro foi retirado do *front* e transferido para o estado-maior do 64° Comando, no qual serviu até o final da guerra.

A guerra deixara profundas lições para o futuro desenvolvimento profissional de Rommel. Ao contrário da maioria dos oficiais, cuja experiência fora adquirida numa concepção estática de luta em intermináveis linhas de trincheiras, ele pôde beneficiar-se, nas campanhas romena e italiana, das táticas de aproximação indireta, de mobilidade e da concentração de forças num ponto focal, seguida da profunda penetração nas linhas inimigas. E mais importante, nessas ações a iniciativa do oficial comandante mostrara-se o fator decisivo.

NOTAS

[1]   Württemberg, Baviera e Saxônia, eram monarquias semi-independentes do Império Alemão, dominado pela Prússia.

[2]   O filósofo francês François Marie Arouet, conhecido como Voltaire, afirmou, em finais do século XVIII: "Enquanto alguns Estados dispõem de um exército, o exército prussiano dispõe de um Estado".

[3]   O descumprimento de ordens superiores no decorrer de uma batalha é passível de fuzilamento sumário em qualquer exército, dispensando inclusive a convocação de uma corte marcial. No entanto, o sucesso obtido pela desobediência direta das ordens recebidas é digno de louvor. No velho Exército Imperial Austríaco, a mais cobiçada condecoração – a Cruz de Maria Teresa – destinava-se a premiar essa rara ocorrência.

INTERLÚDIO

*"Uma vitória tem muitos pais
mas uma derrota é sempre órfã."*
Máxima militar romana

E m 11 de novembro de 1918, delegados do governo provisório alemão assinam um armistício com representantes dos aliados reconhecendo a derrota de seu país.

O sabor da derrota é sempre amargo, mas o colapso alemão surpreendeu e chocou profundamente. A Alemanha havia derrotado e ocupado a Bélgica, a Sérvia, a Romênia e parte da Rússia. No Ocidente, mantinha ocupado o norte da França, resistindo a todas as tentativas dos Aliados em desalojá-la. Os exércitos alemães ainda se encontravam em solo estrangeiro, e nenhum inimigo havia posto os pés na Alemanha, a não ser como prisioneiro.

Apesar dos sucessos, a posição alemã tornara-se insustentável. Por um lado, os efeitos do bloqueio naval inglês sobre as rotas comerciais fizeram-se sentir agudamente a partir do penoso inverno europeu de 1916-1917. As condições de subsistência da população civil chegaram a um ponto crítico. Havia carência generalizada de comida, combustível e roupas. A colheita do verão de 1917 foi ruim, principalmente em razão da falta de fertilizantes importados, e as rações de alimentos para os civis foram cortadas a ponto a afetar a saúde de todos. Em fins daquele ano, ficara claro que, se a escassez e a fome não fossem aliviadas, era bem provável que em futuro próximo ocorresse um colapso na frente interna.

Por outro lado, a opção adotada pela Alemanha para anular os efeitos deletérios do bloqueio não só se revelaram ineficazes como selaram sua sorte na guerra. Em 1° de fevereiro de 1917 teve início a guerra submarina alemã, sem limites, causando grande quantidade de afundamentos na marinha mercante dos Aliados, nos primeiros meses do ano. Foi somente no fim de 1917 que as contramedidas aliadas fizeram com que esse sucesso declinasse bruscamente. No entanto, politicamente, a guerra submarina foi um completo fracasso desde o início. Ela causou a entrada dos Estados Unidos na guerra, em 6 de abril, e, por isso, a derrota da Alemanha.

Nesse cenário, a eclosão da Revolução Bolchevique na Rússia em outubro de 1917, com a consequente saída do país do conflito pela assinatura do Tratado de Paz de Brest-Litovsk com a Alemanha em março de 1918, representou a última oportunidade de uma vitória alemã.

Com a concentração a ocidente das divisões liberadas da Frente Russa, os alemães adquiriram, momentaneamente, superioridade numérica sobre os Aliados. A guerra deveria ser vencida mediante uma avassaladora ofensiva contra os franceses e ingleses, no verão de 1918, antes que o vasto potencial em homens e equipamentos dos Estados Unidos alterasse definitivamente a correlação de forças.

Nessa corrida contra o tempo, a ofensiva Ludendorff[1] desencadeou-se em março de 1918. O vigor que demonstrou e os danos que causou foram significativos. A linha de trincheiras foi rompida, 1.500 km^2 de território aliado conquistados e 90 mil soldados feitos prisioneiros. Mas as baixas e as comunicações deficientes provocaram o malogro do esforço alemão. A partir de setembro, os Aliados, contando com os reforços norte-americanos, contra-atacaram vitoriosamente.

Além disso, a Alemanha estava ficando isolada e aberta a invasões pelo sul e sudeste, pois seus antigos parceiros assinaram armistícios com os Aliados: Bulgária (30 de setembro), Império Otomano, (30 de outubro) e Império Austro-Húngaro (3 de novembro). A guerra estava perdida e urgia um armistício para tentar salvar algo das catástrofes que se sucediam.

O kaiser partiu para o exílio em 10 de novembro, abrindo caminho para a instalação de um governo provisório controlado pelos sociais-democratas. O vácuo deixado pela derrota parecia completo: a velha ordem imperial havia desaparecido repentinamente. Para controlar a agitação e a luta civil que se seguiu, e principalmente para evitar que a anarquia e as lutas separatistas mergulhassem o país no caos, o corpo de oficiais interveio. O general Karl Groener, chefe do estado-maior do exército, celebrou um acordo com o novo governo. Enquanto o Alto-Comando se responsabilizaria pela manutenção da ordem e pelo retorno do exército à Alemanha, o governo cooperaria na manutenção da lei, da ordem e na supressão dos bolcheviques.

As duas tarefas foram cumpridas com dificuldades. O exército que voltava à pátria, com as bandeiras desfraldadas e ao som de bandas de música, encontrou uma Alemanha totalmente diferente daquela que havia deixado em 1914. Desordens, motins, sublevações e agitação revolucionária estavam na ordem do dia. Entre os militares, cresceu a sensação de estupefação, a convicção de que não haviam sido verdadeiramente derrotados, mas levados a aceitar a derrota pela deslealdade e falta de patriotismo de alguns políticos, que haviam desferido uma punhalada nas costas da nação.

Em meio a tamanha desordem política, social e militar, formaram-se os **Freikorps** (Corpos Livres), grupamentos de soldados e jovens oficiais que se encarregavam de suprimir a agitação esquerdista, e impedir a fragmentação do país.

No verão de 1919, o Parlamento alemão aceitou o Tratado de Paz de Versalhes, que além de impor pesadíssimas condições à Alemanha, considerava-a a única culpada pela guerra. O mito da "punhalada nas costas" fortaleceu-se. Para largas parcelas da população alemã, o Tratado era um *Diktat*, uma imposição, que penalizava dura e injustamente a Alemanha. A denominada República de Weimar, que sucedeu ao governo imperial, nascia sob o signo da aceitação vergonhosa da derrota.

Rommel parece não ter sido profundamente afetado por esses acontecimentos, tendo poucas oportunidades de envolver-se pessoalmente nas desordens que assolavam a Alemanha. Não aderiu aos Freikorps, como tantos de seus colegas, nem demonstrou qualquer preferência política.

Em 21 de dezembro de 1918, foi novamente comissionado em seu regimento originário, o 124°. E no verão de 1919, comandava a 32ª Companhia de Segurança Interna em Friedrichshafen. Foi sua primeira e última experiência com indisciplina em serviço. Deveria transformar em soldados de primeira ordem um grupo de recrutas. No princípio, zombaram de suas condecorações, exigiram a eleição de um comissário e desobedeceram abertamente suas ordens. Rommel impôs-se. Em pouco tempo eram soldados disciplinados, a ponto de o chefe de polícia de Stuttgart escolher alguns para ingressarem na corporação. E outros cumpriram missões de segurança na área do Ruhr no outono de 1920.

O Tratado de Versalhes permitia que a Alemanha tivesse um exército de apenas 96 mil homens e 4 mil oficiais, o Reichswehr (Força de Defesa Nacional). Para comandá-lo foi designado o general Hans von Seeckt.

Formado nas rígidas normas prussianas, von Seeckt estava decidido a manter o melhor da tradição imperial, temperada com as inovações que a guerra permitira aflorar. Mantendo o exército longe das lutas políticas internas, assegurou-se que seus quadros só fossem preenchidos por oficiais e graduados com experiência de guerra. Visava fazer da pequena força um corpo de instrutores e líderes qualificados, capaz de servir de núcleo para uma rápida expansão no futuro. A instrução foi conduzida em alto nível e dentro de novas bases, de modo a produzir espírito profissional e destreza, superiores ao que o grande exército imperial tivera. Portanto, a doutrina de mobilidade, a formação de tropas de choque, a flexibilidade **operacional** e a insistência de que os comandantes, em todos os níveis, conduzissem as batalhas da linha de frente, foram contempladas.

Nada mais natural, nessas circunstâncias, que Rommel fosse um dos oficiais escolhidos para integrar a Reichswehr. Em janeiro de 1921, recebeu o comando de uma companhia do 13° Regimento de Infantaria sediado em Stuttgart, onde permaneceu por nove anos, estudando a aplicação tática do uso de metralhadoras pesadas, dos novos meios de comunicação e dos motores de combustão interna.

Durante seu longo tempo de serviço em Stuttgart, cidade onde sua família vivia, gozou de um período tranquilo. Pôde dedicar-se à prática de esportes ao ar livre com sua esposa, como canoagem e alpinismo. No verão de 1927, fez uma viagem de motocicleta à Itália, na qual reviu os campos de batalha em que atuara. Parece não ter guardado outros traços da guerra além das cicatrizes de seus ferimentos. Na véspera do Natal de 1928, nasceu Manfred, único filho do casal.

Em 1929, foi nomeado instrutor da Escola de Infantaria de Dresden. Lá permaneceu por quatro anos, tendo compilado sua primeira publicação *Aufgaben für Zug und Companie* (Problemas do pelotão e da companhia).

Em 1932, foi promovido a major e, no ano seguinte, recebeu o comando do 3º Batalhão do 17º Regimento de Infantaria, em Goslar. Sendo um batalhão de *Jägers* (caçadores de montanha), composto por exímios esquiadores, e peritos em infiltração e missões na retaguarda das linhas inimigas, Rommel pôde relembrar sua participação nas campanhas romena e italiana.

É de se destacar a lenta progressão de sua carreira militar, tendo em 20 anos recebido apenas quatro promoções, que o levaram de segundo-tenente a major. Mesmo sob a República de Weimar, os oficiais do estado-maior não eram receptivos àqueles que trilhavam seu caminho sozinhos. Tradição familiar e antiguidade no posto vinham em primeiro lugar.

A ALEMANHA NACIONAL-SOCIALISTA

Os efeitos catastróficos da Grande Depressão da década de 1930 fizeram-se sentir sobre uma Alemanha que estava lentamente recuperando sua vitalidade econômica, e reencontrando sua autoestima como nação, esquecendo-se das humilhações que o Tratado de Versalhes lhe impusera.

Em um caótico ambiente de falências generalizadas, paralisação quase total da economia, mais de seis milhões de desempregados, proletarização das classes médias e ascensão dos partidos de esquerda, a efêmera República de Weimar encontrou seu fim.

O radicalismo de direita, pregando a instalação de um Estado totalitário como solução para os problemas da depressão, triunfou. O Partido Nacional-Socialista dos Trabalhadores Alemães, que existia desde 1919, sempre obtendo um resultado eleitoral medíocre, apresentou um notável crescimento em razão da Grande Depressão. Nas eleições de novembro de 1932 teve mais de 11 milhões de eleitores, com 33% dos votos, tornando-se o maior partido alemão.

Em janeiro de 1933, respaldado pela votação de seu partido, Adolf Hitler torna-se chanceler. Morria a República de Weimar e iniciava-se o Terceiro Reich.

O primeiro encontro de Rommel com o nacional-socialismo deu-se no verão de 1935. Hitler deveria comparecer a uma cerimônia pública na cidade de Goslar, na qual haveria um desfile militar. Informado de que Hitler seria cercado por uma fileira de tropas da ss para garantir a sua segurança pessoal, Rommel vetou que o batalhão que comandava desfilasse. Argumentou que seus soldados estavam perfeitamente aptos para garantir a segurança do chanceler. Retirados os ss, o batalhão perfilou-se e desfilou.

O episódio demonstra a concepção de Rommel sobre o desempenho de sua profissão. Hitler era o chanceler, representando o poder do Estado, Estado cuja função do exército era proteger.

Significativas parcelas do oficialato alemão viram a ascensão de Hitler como o único modo de superar as amarras que o Tratado de Versalhes impôs à Alemanha e de restaurar o prestígio que o exército tivera no passado. O general Walter Warlimont, que posteriormente serviu no Q-G de Hitler, recordando esse tempo de esperançosas mudanças, foi categórico:

> Os oficiais generais começaram a ver Hitler como a única esperança para a Alemanha. O programa de rearmamento, o espírito marcial, a valorização dos símbolos pátrios e o orgulho de ser alemão, estavam perfeitamente de acordo com a política fundamental do exército.

Aos poucos, foi-se esboçando uma aliança de conveniência entre o Alto-Comando do Exército e as ambições de poder de Hitler. Exemplo disso é o fato de o ministro da Defesa, general Werner von Blomberg, ordenar em fevereiro de 1934, que o uniforme do Reichswehr passasse a ostentar a insígnia oficial do Partido Nacional-Socialista, a águia com a suástica entre as garras.

Em junho de 1934, a aliança entre Hitler e o Alto-Comando do Exército tornou-se explícita no episódio que ficou conhecido como a "A Noite dos Longos Punhais". As SA (*Sturm Abeitlung*/Tropas de Assalto) eram a organização paramilitar de voluntários do Partido Nacional-Socialista, que ao longo dos anos se utilizara dos conflitos de rua e outras técnicas baseadas no terror para atacar os adversários e garantir o sucesso do partido. Agora no poder, almejava substituir a Reichwehr como a força combatente do novo regime. Com seus efetivos de 2 milhões de homens, constituíam uma ameaça concreta ao monopólio da violência que o exército pretendia exercer, além do fato de Ernst Röhn, seu líder, rivalizar com Hitler em prestígio e representar uma ameaça concreta à sua total liderança.

Na noite de 30 de junho para 1º de julho, num banho de sangue perpetrado pelas SS, sob os olhares complacentes das autoridades militares, as SA foram expurgadas de seus líderes mais radicais, e postas sob o controle do exército. Hitler afirmava-se como único líder do partido e conquistava o apoio do exército.

O exército tornou-se cúmplice passivo de Hitler. Dada a rápida e contínua expansão de seus quadros, o corpo de oficiais passou os cinco anos seguintes de-

O primeiro contato de Rommel com Hitler. Desfile militar na cidade de Goslar, no verão de 1934. Rommel, de capacete, está à direita do Führer.

dicado exclusivamente à instrução e treinamento de novos recrutas. Aos oficiais intermediários não competia contrariar a vontade dos oficiais generais. O Reichswehr, a Força de Defesa Nacional da República de Weimar, transformou-se na **Wehrmacht**, as Forças Armadas do Terceiro Reich. A transformação completara-se.

Promovido em 1935 a tenente-coronel, Rommel assume o cargo de instrutor-chefe da Academia Militar de Potsdam. Lá escreveu *A infantaria ataca* (*Infanterie Greift an*), livro em que narra suas experiências de combate na Grande Guerra. A obra vendeu cerca de meio milhão de exemplares na Alemanha e foi adotada por várias academias militares europeias como manual de treinamento em princípios táticos.

Em 1937, foi designado oficial de ligação junto ao Comando da Juventude Hitlerista, função que ocupou até setembro de 1938. "Certo dia, um coronel entrou em meu gabinete – robusto, alerta, cheio de saúde e energia, e usando a cobiçada *Pour Le Mérite* no pescoço. Era o tenente-coronel Erwin Rommel, recém-nomeado para supervisionar o treinamento militar da Juventude Hitlerista. Vinha para discutir alguns pormenores de disciplina e treinamento". Essa é a descrição que dele fez o então coronel Friedrich Wilhelm von Mellenthin, futuro general adido ao estado-maior do Afrikakorps.

Seu superior imediato, Baldur von Schriach, um civil sem prévia experiência militar, ressentia-se da presença de Rommel em seu Movimento Juvenil, tanto quanto este detestava acatar a opinião de um leigo em métodos militares de treinamento. As divergências entre os dois foram inevitáveis. Mas quando Rommel deixou o posto em setembro de 1938, não havia chegado a se desentender abertamente com o Partido Nacional-Socialista, de modo que sua carreira não foi em nada prejudicada. Na verdade, em estilo ele parecia ser um oficial cada vez mais do agrado do partido. Resoluto, agressivo, cumprindo perfeitamente bem as tarefas que lhe eram confiadas, inovador e, principalmente, livre da rigidez que o treino em estado-maior conferia.

No verão de 1937, Rommel compareceu às manobras anuais de Grafenwöhr, onde pôde assistir ao desempenho conjunto das primeiras divisões Panzer. Impressionou-se com a nova concepção de trabalho em equipe, introduzida pelo general Heinz Guderian, de uma formação de tanques apoiada por infantes, artilheiros e engenheiros motorizados. À surpresa tática podia-se somar a rapidez do deslocamento, com a possibilidade de se atingir pontos nevrálgicos da retaguarda inimiga, como postos de comando e centro de comunicações. A adoção dos blindados e a mecanização do exército tornaram uma realidade aquilo que ele havia experimentalmente desenvolvido com a infantaria na Primeira Guerra.

Promovido a coronel em 1938, foi indicado pessoalmente por Hitler para comandar o seu Batalhão-Escolta, o Führerbegleit Batallion. As razões dessa escolha são nebulosas. Rommel não era filiado ao partido, nem demonstrava especial entusiasmo pelo nacional-socialismo. O fator decisivo deve ter sido a vívida impressão que a leitura de seu livro causou em Hitler, que chegou a externá-la em seu círculo íntimo.

Rommel passou a ser o responsável direto pela segurança pessoal do Führer, o encargo mais cobiçado e, ao mesmo tempo, mais perigoso da Alemanha. No cumprimento de sua nova missão, esteve ao lado de Hitler nas incruentas vitórias em que foram se recuperando algumas das perdas territoriais que o Tratado de Versalhes impusera à Alemanha, como a retomada da região dos Sudetos,[2] em setembro de 1938.

Em novembro do mesmo ano, foi nomeado comandante da Academia de Guerra em Wiener-Neustadt, cidade próxima a Viena. Pretendia transformar a

Academia "na melhor Kriegschule do Reich", pela introdução dos postulados da guerra moderna. Infelizmente não pôde cumprir essa missão graças à sua curta permanência no posto.

O ano de 1939 marcou o último período de paz na Europa. Em março, a Tchecoslováquia deixou de existir como país independente. Sua porção ocidental com a capital, Praga, foi anexada pela Alemanha e passou a constituir o Protetorado da Boêmia e da Morávia;[3] sua porção central tornou-se a República da Eslováquia, colocada sob a órbita alemã; e sua porção oriental, a Rutênia, foi anexada pela Hungria, aliada informal da Alemanha.

O desaparecimento de um país soberano chocou a opinião pública, especialmente a britânica. Parecia que a ambição de Hitler não conhecia limites. Sua retórica de apenas agir para reparar as injustiças de Versalhes caiu no vazio.

A reação franco-britânica foi firmar um Pacto de Assistência Mútua com a Polônia, em 6 de abril. Era a última nação europeia com que a Alemanha tinha disputas territoriais. Em caso de uma agressão alemã à Polônia, esta poderia contar com a ajuda militar franco-britânica. A ação pode ter sido uma resposta governamental tardia à indignação da opinião pública, que via a política externa alemã como um misto de ameaça e chantagem, ou uma jogada destinada a pôr um ponto final nas ambições territoriais de Hitler. Porém, sem a adesão da União Soviética (nome da Rússia desde 1923), o Pacto era inócuo. Ela era o único país fora da órbita alemã a fazer fronteira com a Polônia.

Em 23 de agosto, num triunfo da diplomacia alemã, é assinado o Pacto Nazi-Soviético. Alemanha e União Soviética celebram um tratado de não agressão, com cláusulas secretas dividindo a Polônia entre ambas. Com o fantasma da guerra em duas frentes afastado, a Alemanha pôde resolver o "problema polonês" de uma vez por todas.

Rommel foi promovido a major-general em agosto de 1939 e nomeado comandante do Q-G de Hitler. Escrevendo para a esposa, diz: "Soube que minha última promoção saiu graças ao Führer. Você pode imaginar como fiquei feliz. O reconhecimento dele por minhas ações é o máximo que poderia desejar".

Em 1º de setembro de 1939, a Alemanha invade a Polônia e anexa a cidade de Danzig. Dois dias depois, expira o prazo do ultimato franco-britânico para que cesse a agressão alemã à Polônia, e a Europa encontra-se novamente em guerra no espaço de uma geração.

Rommel deslocou-se com seu novo Q-G para o território polonês, onde permaneceu por três semanas, observando detalhadamente o fantástico de-

O Alto-Comando Alemão observa o desenrolar da campanha polonesa, em setembro de 1939. Rommel está à esquerda de Hitler.

sempenho das divisões Panzer. A ofensiva alemã conclui-se vitoriosamente em apenas três semanas. Em 27 de setembro, Varsóvia rende-se, encerrando as operações militares. A Polônia deixara de existir, dividida entre a Alemanha e a União Soviética, que em 17 de setembro invadira o país pelo leste.

Rommel passara a ser figura central dos acontecimentos. Data dessa época o relacionamento particularmente íntimo com Hitler, havendo entre os dois homens respeito e compreensão mútuos. Caso alimentasse quaisquer escrúpulos quanto à moralidade dos atos de invasão e anexação de territórios estrangeiros, ele não os tornou públicos.

Politicamente, demonstrava certa dose de ingenuidade, considerando a prática como sinônimo de servir à pátria. Como o líder dessa pátria era Hitler, para Rommel "*Führer, Volk und Vaterland*" (Líder, Povo e Pátria) eram uma coisa só. Sua postura pode ser resumida nas cartas que escreveu à sua esposa: "Tenho passado muito tempo com o Führer. A confiança que ele tem em mim me dá um prazer imenso, maior que o proporcionado pelas minhas estrelas de general"; "Ontem fui autorizado a sentar-me ao lado dele" e "O Führer com certeza irá tomar a decisão correta. Ele sabe exatamente o que é melhor para nós".

A guerra era sua profissão, e ele a exercia com competência buscando melhor defender sua pátria, como se pode constatar em sua afirmação: "A Wehrmacht é a espada da nova ideologia alemã".

Após a vitoriosa campanha polonesa, a vocação para o planejamento que Rommel sempre demonstrara, aliada a sua boa estrela, habilitaram-no a pleitear junto ao Führer a almejada obtenção de um comando operacional.

Foi inicialmente designado para o comando da divisão de montanha (Gebirgsjäger) de Innsbruck, graças à sua experiência prévia. Não satisfeito, Rommel pediu o comando de uma divisão Panzer. Teve seu pedido recusado pelo estado-maior do exército, sob a alegação de que era um oficial de infantaria sem o devido conhecimento operacional sobre blindados.

Hitler interferiu pessoalmente, afastou as objeções do estado-maior, e em 10 de fevereiro de 1940, Rommel recebeu o comando da 7ª Divisão Panzer. Aos 47 anos, estava de volta aos campos de batalha.

NOTAS

[1] O marechal de campo Erich Friedrich Wilhelm Ludendorff foi chefe do estado-maior do Exército Imperial. Planejou e comandou a última ofensiva alemã.

[2] A Alemanha tinha diversas reivindicações territoriais em áreas habitadas majoritariamente por populações etnicamente alemãs, das quais fora privada pelo Tratado de Versalhes. Da Tchecoslováquia reivindicava a região dos Sudetos; da Lituânia, o porto de Memel; e da Polônia, a cidade de Danzig e o Corredor Polonês. Também almejava a união com a Áustria, expressamente proibida pelo Tratado de Versalhes, para constituir uma Grande Alemanha.

[3] A Tchecoslováquia era uma das criações artificiais do Tratado de Versalhes. Englobava enclaves de populações majoritariamente alemãs, húngaras e polonesas, postas sob o domínio tcheco. Havia ainda uma tensão permanente entre tchecos e eslovacos, causada pelo desejo de autonomia eslovaca. As áreas anexadas pela Alemanha haviam feito parte do Império Austro-Húngaro até 1918, com os nomes de Boêmia-Morávia. O próprio Adolf Hitler nasceu em uma pequena cidade fronteiriça da Boêmia, Braunau am Inn.

A DIVISÃO FANTASMA

"Os generais costumam lutar a próxima guerra com a experiência adquirida na última."
sir Basil Liddell Hart,
teórico militar

A Polônia fora conquistada em três semanas, graças à nova doutrina operacional que o uso massivo e coordenado de blindados permitira. Tratava-se da **Blitzkrieg** (guerra-relâmpago), conceituada e posta em prática pelo general Heinz Guderian. Previa a estreita cooperação entre todas as armas, concentradas em um ponto focal da linha inimiga a fim de se conseguir um rompimento, que era explorado rapidamente pelas forças blindadas, secundadas pelas motorizadas.

Em seguida, ocorriam profundas penetrações em arco que atingiriam os centros de controle e comando, interrompendo as comunicações, inviabilizando a transmissão de ordens e dificultando a tomada de decisões. O alvo visado era o "cérebro" do inimigo e não mais seus "músculos", como na Primeira Guerra. Os pontos fortificados de resistência eram deixados a cargo da infantaria que seguia as **forças móveis**.

O colapso de qualquer linha de defesa linear – mesmo escalonada em profundidade – era, nessas circunstâncias, inevitável.

Nessa nova modalidade de guerra, a cooperação entre as armas era fundamental. À força aérea alemã, a Luftwaffe, reservava-se um papel importante. Deveria substituir a artilharia pesada – cujo lento deslocamento não era compatível com a velocidade das forças móveis – através da adoção de **bombardeiros** de mergulho. Além disso, era sua função assegurar o abastecimento (com o lançamento de suprimentos por paraquedas), atuar em missões de reconhecimento tático e obter **supremacia aérea** sobre a zona de batalha.

A importância de se ter uma clara noção do dispositivo e das intenções do inimigo fazia com que cada divisão Panzer contasse com seu próprio esquadrão aéreo de reconhecimento, composto por nove aviões.

As divisões Panzer demonstraram que o planejamento e o treinamento adotados eram perfeitamente adequados para vencer o tipo de defesa erguido por exércitos convencionais (ultrapassados). Como consequência, no inverno de 1939-1940, quatro divisões ligeiras foram convertidas em Panzer, elevando-se o total disponível para dez divisões blindadas.

O período entre setembro de 1939 e maio de 1940, conhecido como "falsa guerra", viu os Aliados adotarem uma postura defensiva, protegidos pela Linha Maginot, à espera da ofensiva alemã.

Derrotada na Guerra Franco-Prussiana de 1870, e tendo sofrido danos imensos por parte da Alemanha na Primeira Guerra Mundial, a França criou uma obsessão pela segurança que culminou com a construção de uma barreira fortificada cobrindo suas fronteiras norte e nordeste, batizada com o nome de seu idealizador, André Maginot, ministro da Guerra em 1922. Terminada em 1938, a Linha Maginot era um bastião de concreto e aço, dotado desde metralhadoras até artilharia pesada e possuindo vastas instalações subterrâneas, que protegia, com diferentes profundidade e poderio, as fronteiras da França desde a Suíça até o início da floresta das Ardenas, na fronteira belga.

A existência de tal baluarte fronteiriço, julgado inexpugnável a ataques frontais, limitava naturalmente a esperada ofensiva alemã às planícies belgas ao norte de Namur. A região ao sul dessa cidade até a Linha Maginot, que compreendia o terreno coberto por florestas e bastante acidentado das Ardenas e o rio Mosa com suas margens alcantiladas, foi julgado inadequado para operações militares em larga escala. Como consequência lógica desse raciocínio, os mais fortes e mecanizados exércitos franceses foram colocados em posição ao norte de Namur, enquanto os mais fracos e menos móveis foram encarregados de cobrir o rio Mosa e a floresta das Ardenas.

De acordo como Plano Dyle ou "Plano D", assim que os exércitos alemães invadissem a Bélgica, os 1º e 7º Exércitos franceses, apoiados pelos ingleses, que agrupavam dez divisões na Força Expedicionária Britânica (FEB), avançariam pela fronteira para ocupar uma linha baseada no rio Dyle. O 9º Exército também avançaria para formar uma guarda de flanco nas Ardenas. Assim, os alemães seriam confrontados em uma linha em arco, de cerca de 160 km, apoiada em sucessivas barreiras fluviais e robustecida pelas fortificações belgas e pelas 10 divisões do seu exército.

O plano alemão para a invasão da França, elaborado pelo OKW, além de ser estrategicamente conservador lembrava muito o Plano Schlieffen de 1914. Propunha um maciço ataque através da Bélgica, seguido do envolvimento da Frente Francesa.

Ao contrário do plano OKW, o chefe do estado-maior do Grupo de Exércitos A, general Erich von Manstein, formulou uma concepção inovadora que contemplava as possibilidades abertas pela guerra-relâmpago: "Eu achava humilhante que nossa geração não pudesse fazer coisa melhor que repetir uma velha ideia", e era estrategicamente brilhante.

Buscando uma vitória decisiva, a Holanda seria ocupada e haveria um ataque de fixação na Bélgica, a fim de atrair os exércitos aliados. Enquanto isso, as divisões Panzer atacariam através da floresta das Ardenas, considerada um território intransponível para os tanques, e romperiam a Frente Francesa ao longo do rio Mosa, conquistando várias cabeças de ponte. Delas rumariam para o canal da Mancha, envolvendo as melhores forças francesas e a totalidade das britânicas em uma armadilha em larga escala.

Quanto mais profundamente os Aliados penetrassem em território belga, mais rápido estariam caindo na armadilha alemã. Sua guarda de flanco seria ultrapassada, sua retaguarda cercada e sua aniquilação tornada inevitável.

O plano revolucionário de von Manstein foi prontamente aceito por Hitler, contrariando as conservadoras objeções do estado-maior.

Para a conquista da Holanda e, principalmente, para fixar os Aliados na Bélgica, ao Grupo de Exércitos B, sob o comando do general Fedor von Bock, foram designadas 3 divisões Panzer e 1 motorizada, agrupadas em 2 corpos Panzer, bem como importantes unidades de paraquedistas, além de 28 divisões de infantaria convencionais.

Como a Alemanha invadira a Dinamarca e a Noruega em 9 de abril e tomara os dois países em menos de um mês, com o emprego pioneiro de formações de paraquedistas, a presença destas como a dos blindados visava iludir os Aliados e dar a impressão de que o eixo principal de ataque era nas planícies belgas, pelo emprego em massa dessas armas inovadoras.

O Grupo de Exércitos A, comandado pelo general Gerd von Rundstedt, a quem se reservava o papel crucial na ofensiva, recebeu 7 divisões Panzer e 4 motorizadas, agrupadas em 3 corpos Panzer, e 34 divisões de infantaria. E o Grupo de Exércitos C, sob o comando do general von Leeb, com suas 17 divisões de infantaria, imobilizava cerca de 38 divisões francesas, que compunham a guarnição da Linha Maginot.

A CORRIDA PARA O CANAL

Rommel recebeu em fevereiro o comando da 7ª Divisão Panzer, uma das 4 novas divisões criadas durante o inverno. Possuía apenas um regimento blindado, mas com 3 batalhões, o que elevava seu total operacional de tanques para 218. Mais da metade dos seus tanques eram leves, de construção tcheca.[1]

Formava um grupo equilibrado de todas as armas, algo muito revolucionário para a época. Compreendia blindados, infantaria, motociclistas, engenheiros de combate e artilharia para várias funções, de campanha, antitanque e antiaérea, sendo inteiramente motorizada. As decisões de comando deveriam ser rápidas e eficazes, tomadas no calor do momento. Para tanto, impunha-se liderar à frente e valer-se do rádio como equipamento de comunicação.

Na verdade, o novo conceito só vinha dar maior mobilidade e mais flexibilidade às tropas, não diferindo muito da experiência pregressa de Rommel, que passou os três meses seguintes, adaptando-se ao novo comando.

CAMPANHA DA FRANÇA, MAIO/JUNHO DE 1940.

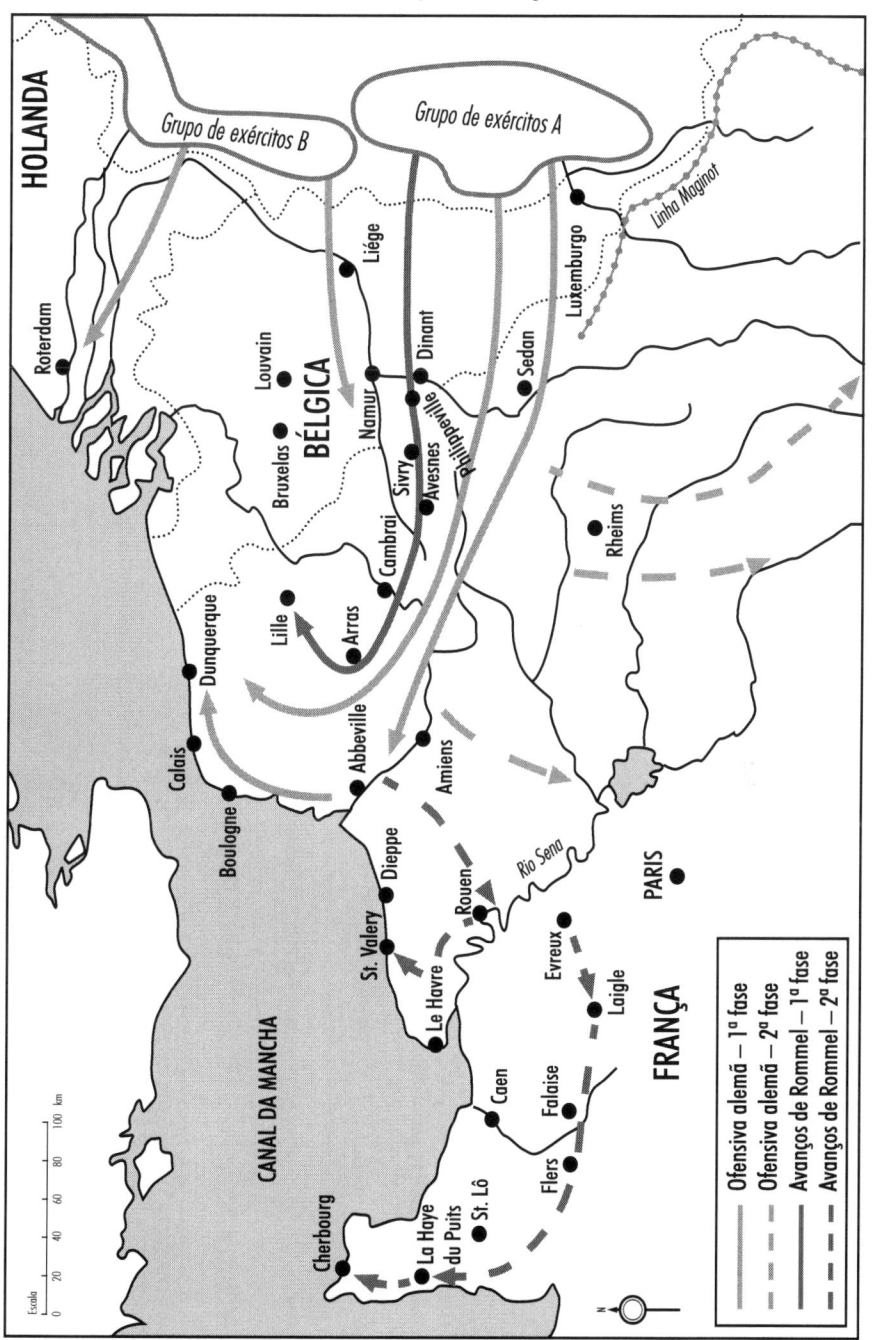

A 7ª Divisão Panzer, juntamente com a 5,ª compunham o 15° Corpo Panzer, e tinham por missão inicial avançar até o rio Mosa na região de Houx-Dinant e cobrir o flanco do ataque principal. Esse seria realizado pelo Grupo Panzer Kleist, composto pelo 41° Corpo Panzer de Reinhardt e pelo 19° Corpo Panzer de Guderian. Enquanto o primeiro, com 2 divisões blindadas, alcançaria o Mosa e o forçaria em Monthermé, o segundo, com 3 divisões blindadas, deveria conquistar uma cabeça de ponte mais ao sul, na região de Sedan.

Na noite de 9 para 10 de maio de 1940, os alemães iniciaram a invasão dos Países Baixos. Em apenas quatro dias, um ataque aeroterrestre apoiado por forças blindadas e de infantaria havia conquistado a Holanda. As tropas aliadas atravessaram a fronteira belga e fizeram contato com os invasores alemães ao longo do rio Dyle, engajando-os. Tudo parecia estar de acordo com o planejamento aliado.

Enquanto isso, sete divisões Panzer, a ponta de lança do Grupo de Exércitos A, atravessaram de um fôlego o maciço das Ardenas, julgado intransitável pelos militares aliados, e alcançaram o rio Mosa desde Dinant até Sedan, onde iniciaram os preparativos para sua travessia a 13 de maio.

A primeira dificuldade encontrada pela 7ª Divisão Panzer foi na cidade de Dinant. Como os franceses haviam destruído as pontes sobre o Mosa, os alemães forçaram a travessia do rio em botes de borracha, enfrentando pesada oposição dos franceses posicionados na margem oposta. O fogo inimigo deteve momentaneamente a travessia, e provocou sérias baixas. Rommel fez incendiar as casas do vale, provocando uma cortina protetora de fumaça, enquanto concentrou todo poder de fogo divisionário disponível, canhões dos tanques, obuseiros e mesmo armas portáteis, contra o inimigo, forçando-o a abrigar-se. A travessia reiniciou-se e, ao amanhecer de 14 de maio, infantaria, canhões antitanque e blindados haviam penetrado cerca de 3 km nas linhas francesas, atingindo a aldeia de Onhaye.

Ao superar uma situação tática desvantajosa, o general incutira ânimo no moral de sua divisão. Além disso, demonstrava um novo estilo de liderança, movendo-se em meio a seus soldados no local onde a ação era mais intensa, gritando ordens e ajudando pessoalmente no que parecia necessário. Estilo oposto ao dos comandantes franceses, que costumavam situar-se bem à retaguarda da linha de frente.

O general Corap, comandante do 9° Exército Francês, deu ordens para que as posições ao longo do rio Mosa fossem abandonadas ao anoitecer do dia 14, em razão dos preocupantes relatórios que recebia acerca das cabeças de ponte

Deutsches Bundesarchiv

Rommel com o tenente-general Julius von Bernuth, chefe do estado-maior da 7ª Divisão Panzer, após a bem-sucedida travessia do rio Mosa. França, maio de 1940.

conquistadas pelos alemães. Dessa forma, abriu a comporta para a inundação dos blindados alemães. Rommel teve uma clara visão do efeito conseguido pelo golpe que encaixara no adversário e partiu para explorar a qualquer risco suas consequências. Em 15 de maio, ele traçou no mapa o plano de ataque que sua divisão deveria seguir. Contando com o apoio imprescindível da artilharia e da força aérea, revelava uma simplificação de ordens para evitar perda de tempo, a seu ver fator decisivo. Assumia que os comandantes, especialmente os de forças móveis, teriam de demonstrar espírito de iniciativa, reagindo aos acontecimentos sem depender de ordens superiores.

Como consequência, a vanguarda da divisão avançou 80 km em 24 horas e chegou a Le Cateau em 17 de maio. Utilizando-se de táticas inovadoras – como deslocar os blindados à noite e fazê-los disparar em movimento, o que prejudicava a precisão do tiro, mas causava um efeito psicológico tremendo no inimigo que se julgava sob ataque constante –, Rommel impusera um ritmo de penetração desenfreado, bem à frente das demais formações Panzer. Foi por essa razão que a 7ª Divisão Panzer recebeu o apelido de "divisão fantasma", por não se poder precisar com exatidão seu paradeiro nos mapas dos estados-maiores aliados, tal a velocidade com que se deslocava. "O senhor é rápido demais para nós", são as palavras do general francês Martin comandante do 11º Corpo, quando de sua captura em Premesques.

Mas enquanto os tanques varavam as defesas inimigas, a infantaria transportada em caminhões não conseguia manter o mesmo ritmo dos blindados, o que resultou em uma situação de desequilíbrio operacional, agravada pelo fato de numerosos soldados franceses renderem-se aos elementos de vanguarda. Para aumentar a confusão, nas palavras do próprio Rommel:

> começamos a encontrar colunas de refugiados e destacamentos de soldados franceses que se preparavam para a marcha. Canhões, tanques e uma variedade de veículos militares, misturados com carroças de que se valiam os refugiados, cobriam as estradas e os campos, [...] a divisão não tinha tempo para recolher esta enorme quantidade de prisioneiros e de equipamento.

Foi, portanto, concedido um dia de descanso para a divisão, para permitir que seu comandante a reabastecesse e suprisse de munição.

Retomando a marcha, a divisão chegou seriamente desequilibrada nos arredores de Arras, em 20 de maio. A infantaria motorizada não acompanhara os blindados tão de perto quanto necessário, e Rommel constatou que suas linhas de comunicação haviam sido cortadas pelos franceses. A divisão esteve extremamente vulnerável por algumas horas, até que a infantaria alcançasse o regimento Panzer.

No dia seguinte, 21, quando a 2ª Divisão Panzer já avistava o canal da Mancha de sua nova posição em Abbeville, os Aliados finalmente cônscios de que a ratoeira se fechava em torno dos seus exércitos encurralados na Bélgica, desfecharam um contra-ataque a sudoeste de Arras, que atingiu a 7ª Panzer.

Mal coordenada e feita às pressas – os franceses chegaram atrasados –, a operação falhou. Mesmo assim, cerca de setenta tanques pesados britânicos conseguiram ultrapassar o regimento Panzer e arremeteram contra as vulneráveis colunas de infantaria, que sofreram sérias perdas em homens e equipamentos. Nessa emergência, Rommel supervisionou pessoalmente o fogo de apoio da artilharia de campanha e de canhões antiaéreos de 88 mm, que por acaso se encontravam perto da frente. Os "88" empregados pela primeira vez contra tanques mostraram-se singularmente bem-sucedidos detendo o ataque britânico.

Após o combate de Arras, o Alto-Comando decidiu reduzir a velocidade das divisões Panzer, por recearem outro contra-ataque mais bem organizado. Isso deu aos Aliados a oportunidade de recuar até o porto de Dunquerque,[2] pois o eixo do avanço alemão foi orientado mais ao sul, na direção dos portos de Calais e Boulogne. As forças Panzer ficaram paradas até 26 de maio, quando se puseram novamente em movimento, não tendo se materializado o esperado contra-ataque aliado.

Rommel sentiu muito o ataque britânico de Arras, e dele tirou a lição tática de que para se conseguir o máximo de eficiência bélica dos blindados, era necessária a estreita colaboração das demais armas, especialmente das antitanque. Em 26 de maio, a "divisão fantasma" avançou para o norte em direção a Lille. A conquista da cidade resultou no bloqueio das estradas que se dirigiam para o oeste, e no consequente cerco da maior parte do 1° Exército Francês.

Rommel foi recompensado pela ação. Agraciado com a Cruz de Cavaleiro da Cruz de Ferro, recebeu a visita pessoal de Hitler à sua divisão. O general narra a passagem com indisfarçável orgulho:

> Ele dirigiu-me as seguintes palavras: "Rommel, ficamos muito preocupados com você durante o ataque". Seu semblante irradiava alegria. Pelo menos até o momento eu fui o único comandante de divisão visitado pessoalmente por ele.

Os laços de amizade e respeito mútuo ente o Führer e o general fortaleceram-se ainda mais.

A corrida para o canal fora vencida pelos exércitos alemães. As melhores divisões francesas estavam destruídas, e as forças britânicas evacuadas da França, tendo abandonado todo seu material bélico. A permanência das tropas britânicas na França restringia-se à 51ª Divisão Highland, que se encontrava no sul, em Saint-Valéry. A primeira fase da Blitzkrieg fora um estrondoso sucesso.

As forças Panzer descansaram até 5 de junho. Foram, então, reagrupadas e as baixas (12% de seu efetivo original) repostas.

A BATALHA PELA FRANÇA

Ao amanhecer de 5 de junho, com um maciço bombardeio aéreo e de artilharia, numa frente de 190 km, desde o canal da Mancha até as proximidades de Laon, iniciou-se o assalto final alemão à França.

As forças Panzer agrupavam-se em cinco corpos com efetivo semelhante. O 15° Corpo Panzer, com suas 5ª e 7ª Divisões, deveria atacar para o sul, mantendo-se próximo à costa.

A 7ª Panzer tomou intacta uma ponte sobre o Somme, cruzou o rio e juntamente com a 5ª rumou célere para Ruão, que foi capturada a 10 de junho. Dobrando para o norte, a 7ª alcançou o litoral e progrediu pela linha costeira até o porto de Saint-Valéry, que alcançou a 12 de junho. Rommel liderou um ataque contra a cidade, enquanto a artilharia divisionária impedia a retirada da guarnição por mar. Reconhecendo a inutilidade de qualquer defesa, o comandante francês, general Ihler, capitulou. Nas palavras de Rommel: "Quando perguntei ao general qual divisão ele comandava, ele respondeu num alemão estropiado: 'Não é divisão, eu comando o 9° Corpo'".

A vitória rendeu aos alemães a captura de 11 generais, inclusive o major-general Fortune, comandante da famosa 51ª Divisão Highland britânica, mais de 60 mil soldados e uma enorme quantidade de material, inclusive tanques e canhões. Rommel, cavalheiresco na vitória, convidou a todos os prisioneiros graduados para um almoço ao ar livre. Seus notáveis sucessos não lhe subiram à cabeça. Sua personalidade continuava basicamente generosa e afável.

Em 17 de junho, a 7ª Panzer lançou-se à corrida rumo ao grande porto de Cherburgo, na Bretanha. Sem encontrar oposição muito forte, a divisão pôde avançar num ritmo espetacular. Nas palavras de Liddell Hart: "A divisão de Rommel percorrera mais de 240 km desde a parte da manhã, e mais de 160 km desde que parara ao anoitecer, para reabastecer, o que superava em muito o melhor desempenho de qualquer tropa, em todos os tempos". Só esse fato bastaria para colocar o general nas páginas dos compêndios militares.

Rommel recebeu a rendição de Cherburgo dois dias depois, encerrando sua participação na guerra-relâmpago. Maciça leva de prisioneiros e de material bélico foram capturados.

Em combate contínuo desde 10 de maio, a "divisão fantasma" apontava um total de 2.624 baixas entre mortos, feridos e desaparecidos, e 42 tanques destruídos, o que era uma quantia pequena diante dos danos que causara aos Aliados. O armistício franco-alemão foi assinado em 22 de junho. A França reconhecia a derrota e deixava dois terços de seu território metropolitano sob ocupação alemã, inclusive a capital, Paris.

Com a vitória sobre a França, a admiração de Rommel por Hitler cresceu. Admirava em especial "sua capacidade de compreender imediatamente os pontos essenciais e elaborar soluções para eles", acreditando que todas suas ações visavam o bem da Alemanha. Em agosto de 1940, Rommel escreveu em seu diário: "Onde estaríamos se não fosse Hitler? Não sei se já existiu um alemão com tal maestria quando se trata de liderança, tanto política quanto militar".

Após a queda da França, a 7ª Divisão Panzer passou o inverno tranquilamente aquartelada em Bordéus, o que deu a Rommel a oportunidade de atualizar seu diário da invasão. Nele encontra-se o melhor depoimento sobre o cotidiano de um general na guerra mecanizada. A descrição que faz dos problemas com que se defronta um comandante diante da velocidade dos acontecimentos fornece uma clara ideia das exigências para o desempenho do cargo.

Rommel podia ser visto com frequência na linha de frente diferentemente do que, em geral, faziam os comandantes de grandes formações, que costumavam conduzir suas tropas a partir de um mapa em um posto de comando situado à retaguarda. Sua iniciativa mostrou-se eficaz. Em suas próprias palavras: "Um controle estrito da batalha fez com que fosse possível atravessarmos o [rio] Mosa com uma velocidade surpreendente". Para isso, foi essencial o próprio Rommel perceber, no local, a situação militar momentânea e dar pessoalmente as ordens apropriadas aos comandantes de regimentos. Na liderança de um ataque, ele era a imagem de uma estrela em ascensão no firmamento militar do Terceiro Reich. Nos primeiros cinco dias da ofensiva, ele já fora condecorado por suas ações. Seis dias após o início da invasão, seus tanques já haviam cruzado a Bélgica e penetravam em solo francês.

Medidas arriscadas, blefes bem elaborados, compreensão intuitiva das situações difíceis, senso tático apurado e uma forma de explorar rapidamente as informações sobre as intenções do inimigo, com a utilização generalizada do rádio, adotando medidas para neutralizá-las, e, sobretudo, a organização perfeita para maximizar o potencial dos blindados foram razões que garantiam seu triunfo. Entretanto, por causa da grande velocidade do avanço, esse estilo de guerra também tinha seus momentos críticos, como vimos.

Rommel não parara, como havia sido planejado, para permitir que sua infantaria motorizada alcançasse seus blindados. Conduzindo pessoalmente o elemento Panzer, continuou a forçar a velocidade do avanço até que atingisse o território francês. Proteger os flancos e oferecer cobertura às unidades mais adiantadas à medida que fossem avançando – princípios tradicionais da tática militar – foram deliberadamente ignorados na execução da nova estratégia ofensiva. Caso os inimigos tivessem oportunidade de romper sua estendida e frágil linha defensiva, Rommel não teria tempo hábil para concentrar suas unidades de forma a evitar um contra-ataque. E se os exércitos aliados tivessem tido tempo e força para passarem à ofensiva, isso teria sido fatal para seus soldados, até porque o contato entre o comandante e sua divisão nem sempre era mantido.

A contraofensiva britânica em Arras, embora efetuada em pequena escala e tendo sido superada por Rommel com bravura e com medidas táticas inovadoras, ilustra exemplarmente essa situação. De qualquer forma, ele era um vencedor, e seus aparentes defeitos táticos viram-se transformados em virtudes marciais. O general foi recebido como herói em sua cidade natal. O longa-metragem oficial, *Vitória no Oeste*, que em parte era uma reconstrução das batalhas que ele travara, fez com que se tornasse um astro na Alemanha. Nascia um mito que seria cuidadosamente cultivado pelo regime.

Até mesmo a versão de uma canção popular, "*Auf der Reeperbahn nachts um halb eins*" (Meia-noite e meia na Reeperbahn), foi adaptada por Hans Albers, famoso cantor e astro de cinema da Alemanha, para celebrar as vitórias do general na França:

> Meia-noite e meia na estrada de Rommel
> Os fantasmas passam a 80
> Rommel vai à frente, os demais o seguem
> Meia-noite e meia na estrada de Rommel

Essa aclamação toda, porém, comportava suas desvantagens. Por ser um dos "generais favoritos de Hitler", Rommel não era especialmente respeitado pelos oficiais do alto escalão da hierarquia militar do Exército. Durante seu bem-sucedido avanço até a França, ele havia tomado muitas decisões independentes. Quando julgava necessário, burlava as regras estabelecidas e, apesar do sucesso alcançado, mais de uma vez provocou a desaprovação de seus superiores. Ainda que os soldados o venerassem, a oposição à sua conduta era imensa. Um dos oficiais de seu estado-maior **divisional**, major Heidkämper, elaborou um documento com objeções ao estilo de liderança do bem-sucedido comandante, que circulou nos altos escalões do exército, dividindo as opiniões dos generais mais antigos.

Se por um lado o general Hoth, seu comandante de corpo, permitia que o subordinado "assumisse o comando da divisão e seguisse inovadoras linhas de conduta", por outro, o chefe do estado-maior do exército, general Franz Halder, considerava-o um "general louco" que descumpria ordens superiores com uma frequência irritante. Mas era inegável o prestígio que gozava entre os quadros mais jovens. O coronel Meinhard Glanz, um de seus comandantes de regimento, assim se expressou: "Rommel era um general que liderava do *front*, que ficava à frente de seus soldados. Para nós, jovens, ele era o ideal de um líder militar".

Rommel transformou-se com a campanha da França no general preferido de Hitler e, como prova disso recebeu, em dezembro de 1940, uma carta na qual o Führer escreve que ele deveria ficar orgulhoso "do que havia conseguido". Em janeiro de 1941, Rommel é promovido a tenente-general, apesar das críticas do estado-maior ao seu estilo excessivamente agressivo de comandar. E em fevereiro, dirige-se a Berlim, a fim de receber ordens e instruções especiais.

NOTAS

[1] Quando a Alemanha ocupou a Tchecoslováquia, em março de 1939, apoderou-se de todos os tanques em serviço no exército tcheco, bem como das instalações da fábrica Skoda em Praga, que os produzia. Numerosos blindados, com a classificação T-38, tiveram serviço ativo nas divisões Panzer, constituindo-se em seu melhor tanque leve.

[2] Cercado na Bélgica, o exército britânico retirou-se pela única porta de saída ainda aberta, pelo mar. Na chamada "Operação Dínamo", realizada entre 26 de maio e 2 de junho, cerca de 220 mil soldados foram evacuados do porto de Dunquerque, a custa do abandono de todo equipamento bélico. Embora fosse um feito de coragem e organização, realizado diante da decidida oposição inimiga, não pôde ser visto como uma vitória. Como bem pontuou o primeiro-ministro Winston Churchill, em discurso perante a Câmara dos Comuns em 4 de junho, "Não se ganham guerras com retiradas".

A AVENTURA AFRICANA

*"Quem quer defender tudo,
acaba por não defender nada."*
Frederico II, rei da Prússia

A Itália, aliada da Alemanha, não estava em condições de participar de uma grande guerra moderna. As forças armadas italianas não dispunham do tipo de equipamento que possibilitara os êxitos alemães na Europa. Canhões antiaéreos quase não existiam, os poucos canhões antitanque eram leves, as unidades de artilharia de campanha eram equipadas com peças da Primeira Guerra Mundial, os tanques e veículos blindados eram todos ligeiros e de curto raio de ação. Havia uma carência generalizada de material bélico, não sendo atendidas nem a quantidade mínima de veículos de transporte para o exército. As espingardas e metralhadoras eram de um tipo obsoleto, e só havia combustível disponível para seis meses de operações ofensivas. Se na marinha as condições eram ligeiramente melhores, a aeronáutica não dispunha de caças nem de bombardeiros modernos. Havia ainda uma carência desesperadora de matérias-primas estratégicas, como cobre, níquel, alumínio e borracha, que revelavam a fraqueza da economia de guerra italiana.

Além disso, sua posição estratégica também era frágil. No norte da África, sua colônia da Líbia confrontava-se com os franceses na Tunísia, a oeste, e com os britânicos no Egito, a leste, o que inibia qualquer movimento ofensivo italiano. E controlando o estreito de **Gibraltar**, a ilha de Malta e o canal de Suez, os britânicos poderiam negar à Itália o acesso às rotas mediterrâneas de navegação, pondo em perigo o abastecimento de suas possessões de Rodes, do Dodecaneso, e da África Oriental.

Mesmo nessas condições adversas, o ditador italiano Benito Mussolini declarou guerra à Grã-Bretanha e à França em 10 de junho de 1940, esperando obter vantagens territoriais de um inimigo já combalido. Infelizmente para Mussolini, os acontecimentos não obedeceram ao seu plano. Terminada a campanha contra a França, na qual o exército italiano teve um desempenho pífio, não logrando avançar além dos passos Alpinos na fronteira ítalo-franca, Mussolini viu-se privado de seus "prêmios franceses", ao passo que, mesmo isolada, a Grã-Bretanha ainda continuava a resistir.

A insistência italiana em tornar-se a potência dominante no Mediterrâneo, pela anexação das colônias francesas da Tunísia e da Argélia, pela incorporação da ilha da Córsega e pela entrega da esquadra de guerra francesa, foi frustrada por Hitler. O Führer desejava uma França que pudesse cooperar futuramente com a Alemanha e, principalmente, impedir que seu império colonial se desagregasse. Mas o colapso da França alterou drasticamente a situação estratégica do Mediterrâneo. Livre da ameaça de um ataque francês a partir da Tunísia, a Itália poderia concentrar-se contra as forças britânicas no Egito, e ao mesmo tempo, de sua base na Albânia poderia subjugar a Grécia, recriando o "Império Romano" no Mediterrâneo.

A GUERRA PARALELA

Essa foi a diretriz estratégica adotada por Roma, chamada de "guerra paralela". Era uma guerra ao lado da Alemanha e contra os mesmos opositores, mas em teatros diferentes e tendo objetivos especificamente italianos. Como

Mussolini referiu-se, era uma guerra "não com a Alemanha, não pela Alemanha, mas pela Itália, ao lado da Alemanha".

As forças italianas na Líbia formavam o 10º Exército, comandado pelo marechal Rodolfo Graziani, com um efetivo de quase 300 mil soldados. Numeroso, porém muito aquém das exigências de uma guerra moderna, o exército italiano estava apto apenas para uma guerra colonial contra tribos revoltadas. Era constituído majoritariamente por infantaria não motorizada, que muito pouco podia fazer diante de um inimigo motorizado, capaz de um duplo envolvimento no deserto africano. As formações não motorizadas – que só podem ser usadas defensivamente em posições preparadas – tornam-se presa fácil para um inimigo motorizado com ampla liberdade de movimento, dada a ausência de características topográficas dominantes no deserto.

O 10º Exército iniciou as operações em 13 de setembro de 1940, na chamada ofensiva Graziani, com objetivo estratégico de tomar Alexandria, no delta do Nilo. As divisões italianas atravessaram a fronteira egípcia e seguiram ao longo da costa até Sidi Barrani, somente a 95 km de sua linha de partida, forçando as fracas forças britânicas a se retirarem. Estabeleceram-se lá até início de dezembro. Fortificaram a área, construíram uma estrada costeira para facilitar as comunicações, organizaram o abastecimento. A intenção era continuar a ofensiva para leste a partir dessa nova base, rumo a Alexandria.

Enquanto o marechal Graziani permanecia inativo em Sidi Barrani, em 28 de outubro de 1940 desencadeou-se a segunda parte do plano. De sua base na Albânia, a Itália atacou a Grécia, com dois corpos de exército tendo como objetivo principal a tomada do grande porto de Salônica.

Contando com superioridade numérica momentânea, e com forças blindadas e aéreas numerosas, os italianos obtiveram algum sucesso. Porém, os estreitos desfiladeiros das montanhas gregas e o mau tempo (que impediu o apoio da força aérea) anularam a vantagem inicial. A transferência de divisões gregas da fronteira búlgara e a mobilização do exército grego, que se completava com a incorporação dos reservistas treinados, reverteram a superioridade numérica em favor da Grécia, justamente quando se evidenciava a falta de preparo e a incapacidade logística das tropas italianas. O avanço foi detido e os gregos passaram a um bem-sucedido contra-ataque, em 15 de novembro. Resultado: não só recuperaram seu território, mas ainda invadiram o sul da Albânia. Imobilizaram-se numa linha defensiva em 10 de janeiro de 1941, ocupando um terço do território albanês.

O aspecto mais significativo do ataque italiano à Grécia foi a oportunidade que se abriu à Grã-Bretanha. Os primeiros esquadrões de aviação britânicos chegaram à Grécia em 4 de novembro, alterando todo o panorama estratégico no Mediterrâneo oriental. Vindo em socorro dos gregos, seus tradicionais aliados, os britânicos readquiriram um ponto de apoio no continente europeu, ao mesmo tempo em que se asseguravam da neutralidade da Turquia.

Na noite de 11 de novembro de 1940, um ataque de aviões torpedeiros da marinha britânica destruiu metade da esquadra de guerra italiana, na base naval de Taranto, no sul da Itália. Ao neutralizar os mais pesados e modernos encouraçados italianos, a marinha britânica adquiriu uma superioridade naval sobre o Mediterrâneo que manteve até o final da guerra.

Os ingleses reuniram forças de todo império no Egito valendo-se da imobilidade italiana. Possuindo uma linha férrea ao longo da costa até Mersa Matruh, próximo ao *front*, ligada ao sistema ferroviário egípcio, conseguiram acumular rapidamente grande quantidade de material de guerra. Assim, o Egito tornou-se uma base ofensiva.

O general Archibald Wavell, comandante em chefe britânico do Oriente Médio, mesmo tendo que prestar ajuda à Grécia e possivelmente à Turquia, decidiu lançar um ataque preventivo contra os italianos, visando expulsá-los do Egito, em uma operação que não deveria durar mais que uma semana. Em 9 de dezembro, o general O'Connor, comandante da Força do Deserto Ocidental, composta majoritariamente pela 7ª Divisão Blindada e pela 4ª Divisão Indiana, tropas totalmente mecanizadas, lançou sua ofensiva contra os italianos na Cirenaica.[1]

Após um forte bombardeio aéreo, as colunas motorizadas britânicas penetraram no vazio entre os campos fortificados italianos de Sidi Barrani e os atacaram pela retaguarda a oeste, enquanto sua artilharia abria um pesado fogo de barragem a leste. Em 12 de dezembro, três divisões italianas tinham sido varridas, deixando de existir.

Prosseguindo na ofensiva, O'Connor expulsou os italianos do Egito, tendo esmagado sua inadequada força blindada na batalha de Capuzzo. Essas derrotas paralisaram por completo o exército italiano, que se retirou para as praças fortes de Bardia e Tobruk, onde ficou à espera do próximo movimento britânico.

Obtendo aval para o prosseguimento da ofensiva, dado o sucesso atingido, O'Connor, reforçado pela 6ª Divisão Australiana, capturou Bardia em 3 de janeiro de 1941, e Tobruk em 22 de janeiro. Apesar das instalações defensivas, da quantidade de munição e de artilharia disponíveis e das numerosas guarnições, o exército italiano não possuía qualquer meio de defesa contra os **tanques**

britânicos de infantaria fortemente blindados. O estratégico porto de Tobruk caiu num único dia.

Porém, a maior vitória ainda estava por vir. Na Batalha de Beda Fomm, travada entre 5 e 7 de fevereiro de 1941, as tropas italianas que recuavam pela estrada costeira foram apanhadas em uma brilhante operação de bloqueio pelos britânicos. Cercadas, tiveram que capitular. Os despojos foram impressionantes: além de 130 mil prisioneiros, o equivalente a 10 divisões, contabilizaram-se 390 tanques e 845 canhões.

O 10° Exército Italiano praticamente desapareceu, e as forças britânicas estavam às portas da Tripolitânia.

A derrota italiana teve efeitos de longo alcance. Em fins de 1940 e inícios de 1941, Hitler foi obrigado a tomar uma série de decisões: apoiar os italianos na Albânia, com um ataque à Grécia, a partir da Bulgária; enviar unidades da Luftwaffe para a ilha da Sicília, para auxiliar a Itália no combate à esquadra britânica do Mediterrâneo; enviar forças alemãs para a **África do norte**, a fim de impedir a perda da Tripolitânia; e aumentar significativamente a assistência econômica à Itália.

Era o fim da "guerra paralela" autônoma da Itália. A Alemanha começou a ajudar sua parceira mais fraca, e seus dirigentes chegaram a pensar se a neutralidade italiana não teria sido mais interessante.

Hitler deixou-se arrastar, sem entusiasmo, para o teatro do Mediterrâneo, que sempre considerou um setor secundário, comparado ao seu propósito de conquistar a União Soviética, que começou a tomar forma no outono de 1940.

Hitler jamais compreendeu as implicações estratégicas de se transformar o Mediterrâneo no ponto focal do esforço de guerra alemão. O deslocamento britânico de suas posições principais, em Gibraltar, em Malta e no Egito, acarretaria o controle alemão sobre o canal de Suez. Assim, o Oriente Médio, com suas reservas petrolíferas, ficaria à mercê do exército alemão, o que tornaria inviável a sobrevivência de uma Grã-Bretanha isolada e sem aliados.

O DEUTSCHE AFRIKAKORPS

Em 11 de janeiro de 1941, o Führer ordenou que, "por motivos políticos e psicológicos, a Alemanha prestasse ajuda à Itália na África do norte". O impacto sobre o moral italiano causado pela perda da Líbia, acarretaria uma pressão sobre o *front* interno com consequências imprevisíveis para o desenrolar da guerra. Assim, a ajuda alemã deveu-se menos a razões militares e mais a motivação política. Dessa decisão nasceu o Deutsche Afrikakorps (DAK), ou Corpo Africano Alemão.

A força enviada à África era forte o bastante para frustrar os planos britânicos de completar a conquista da Líbia, mas não suficientemente forte para obter uma vitória decisiva, que implicasse na tomada alemã do Egito.

O fato de Hitler não ter enviado o primeiro general disponível para o norte da África não foi surpresa. Em vez disso, convocou o "mais audacioso general de blindados que tínhamos em toda Wehrmacht". Erwin Rommel, recém-promovido a tenente-general, foi o escolhido pessoalmente pelo Führer para tirar as forças italianas da enrascada em que se haviam metido no norte da África. Dada às proporções do desastre italiano, uma grande dose de arrojo e audácia era necessária para salvar o que fosse possível da situação. Rommel demonstrara possuir essas qualidades na campanha da França.

Originalmente, o Alto-Comando do Exército havia escolhido o general Erich von Manstein, autor do plano estratégico que havia derrotado a França, mas Hitler optou, propositalmente, pelo oficial general que havia sido privado de treinamento no estado-maior durante a República de Weimar.

Coube ao marechal de campo von Brauchitsch, comandante em chefe da Wehrmacht, explicar a Rommel suas novas atribuições. O novo corpo, o DAK, seria formado por duas divisões alemãs, uma Panzer e outra ligeira e aglutinaria todas as formações motorizadas italianas no teatro africano. Não deveria haver qualquer movimento ofensivo até que o DAK estivesse totalmente concentrado, e o marechal Graziani seria o superior imediato de Rommel.

Rommel não gostou de atuar sob comando italiano. Baseada nas experiências recolhidas no *front* daquele país em 1917, sua opinião sobre a eficiência e bravura dos italianos nunca fora boa. Opinião fortalecida com os informes sobre a retirada na Cirenaica. Portanto, a relação entre os dois aliados jamais seria de igualdade, tendo o próprio Hitler assegurado isso com a maneira inábil como redigiu a diretiva original do DAK. Rommel não chegaria como um aliado oferecendo solidariedade a outro, mas como alguém encarregado de sanar uma situação de desastre absoluto, causada pela inadequação marcial dos italianos. O temperamento e a visão preconceituosa de Rommel o afastaram de seus aliados. Estes, de fato, demonstraram falta de combatividade e despreparo, mas um esforço de integrá-los no espírito do novo exército africano poderia tê-los transformado numa efetiva força combatente. De acordo com suas próprias palavras, porém, Rommel "já decidira, tendo em vista a tensão da situação e a letargia do comando italiano, a não seguir as instruções que havia recebido e realizar um reconhecimento do campo de batalha, para tomar as rédeas do comando na frente o mais breve possível, o mais tardar após a chegada das primeiras tropas alemãs".

Rommel com Hitler em Berlim.

Pouco depois de desembarcar na África do norte, em 12 de fevereiro, Rommel passou a fazer um reconhecimento aéreo diário a fim de familiarizar-se com o novo terreno que deveria enfrentar.

O deserto norte-africano era um terreno inóspito, uma vastidão seca, quente durante o dia e frio à noite. A vegetação natural só crescia ao longo da faixa costeira na vizinhança das cidades principais, onde os colonos italianos haviam irrigado o solo, e no interior apenas poços de oásis sustentavam algumas tribos nômades. Nessa terra árida, devia-se transportar consigo tudo o que se fosse precisar, e a água era sempre a maior necessidade.

Não se encontrava qualquer característica topográfica especial. Algumas escarpas na fronteira egípcia, pântanos salgados ao sul e a oeste de El Agheila, a depressão de Qattara ao sul de El Alamein, e vastos mares de areia que se espalhavam por toda parte, canalizavam o tráfego para a única estrada digna desse nome, na linha costeira, e para um sem número de trilhas rudimentares que levavam ao interior. Abastecer regularmente as unidades operando no interior era sempre um problema. O tráfego costeiro dependia das estradas e dos portos; o movimento no interior dependia unicamente de navegação acurada, pois o senso de direção era prejudicado pelas tempestades de areia que apagavam as marcas feitas no solo e pelas miragens que tornavam impossível calcular as distâncias.

A uniformidade topográfica permitia que se lutasse no deserto como em uma guerra naval, pois dava uma quase completa liberdade de movimento aos veículos equipados com **lagartas**. A extensão da área possibilitava que se dessem avanços sem precedentes, e como em alto mar o raio de ação e a mobilidade eram somente limitados pela quantidade de suprimentos que as tropas pudessem transportar para si próprias, e para os depósitos de suprimentos, tão necessários para manter os avanços ofensivos. Também não existiam cidades e aldeias longe da costa, o que tornava o interior particularmente propício à guerra de movimento, uma vez que não havia povoações que pudessem oferecer abrigo ou obstáculos, nem propriedades civis que pudessem atrapalhar a batalha.

Assim, em uma terra onde só se encontrava abrigo nas dobras do solo ou nos espaços desconhecidos das amplitudes do deserto, as táticas assumiram uma característica singular. As batalhas não podiam começar a longa distância, pois a avaliação do espaço era difícil e muitas vezes distorcida pelas miragens produzidas pelo calor. A técnica de tiro do tanque assumiu vital importância e o abastecimento de combustível e munições constituía a preocupação constante do comandante.

No deserto, a chave para o sucesso era a capacidade logística. Nenhuma das necessidades de um exército poderia ser, nesse ambiente, satisfeita por terra. Água, alimentos, combustível, munição, enfim, todas as exigências para o funcionamento adequado de uma força mecanizada teriam de ser atendidas através de comboios marítimos, o que colocava a segurança das rotas através do Mediterrâneo no grau máximo de prioridade.

Assim que as primeiras unidades alemãs desembarcaram em Trípoli, em 14 de fevereiro, Rommel as despachou para a frente, juntamente com uma divisão italiana. Procurando ocultar sua fraqueza aos olhos dos agentes britânicos, fez os primeiros tanques desembarcados darem repetidas voltas em torno dos mesmos quarteirões, e também ordenou a construção de vários tanques falsos de madeira e de lona, montados em chassis de Volkswagens, com a intenção de iludir o reconhecimento aéreo britânico.

A concentração de tropas alemãs prosseguia e, por volta de 11 de março, o 5º Regimento Panzer completara seu desembarque. A 15ª Divisão Panzer só deveria chegar em meados de maio, data que o Alto-Comando fixara para o fim da concentração de forças do DAK e para o início das operações ofensivas.

Também o Estado-Maior Britânico, baseado em um raciocínio militar lógico, avaliava que Rommel não atacaria enquanto não contasse com toda sua força concentrada. Portanto, a posição avançada de El Agheila, limite do avanço

OFENSIVA DE ROMMEL NA CIRENAICA, ABRIL DE 1941.

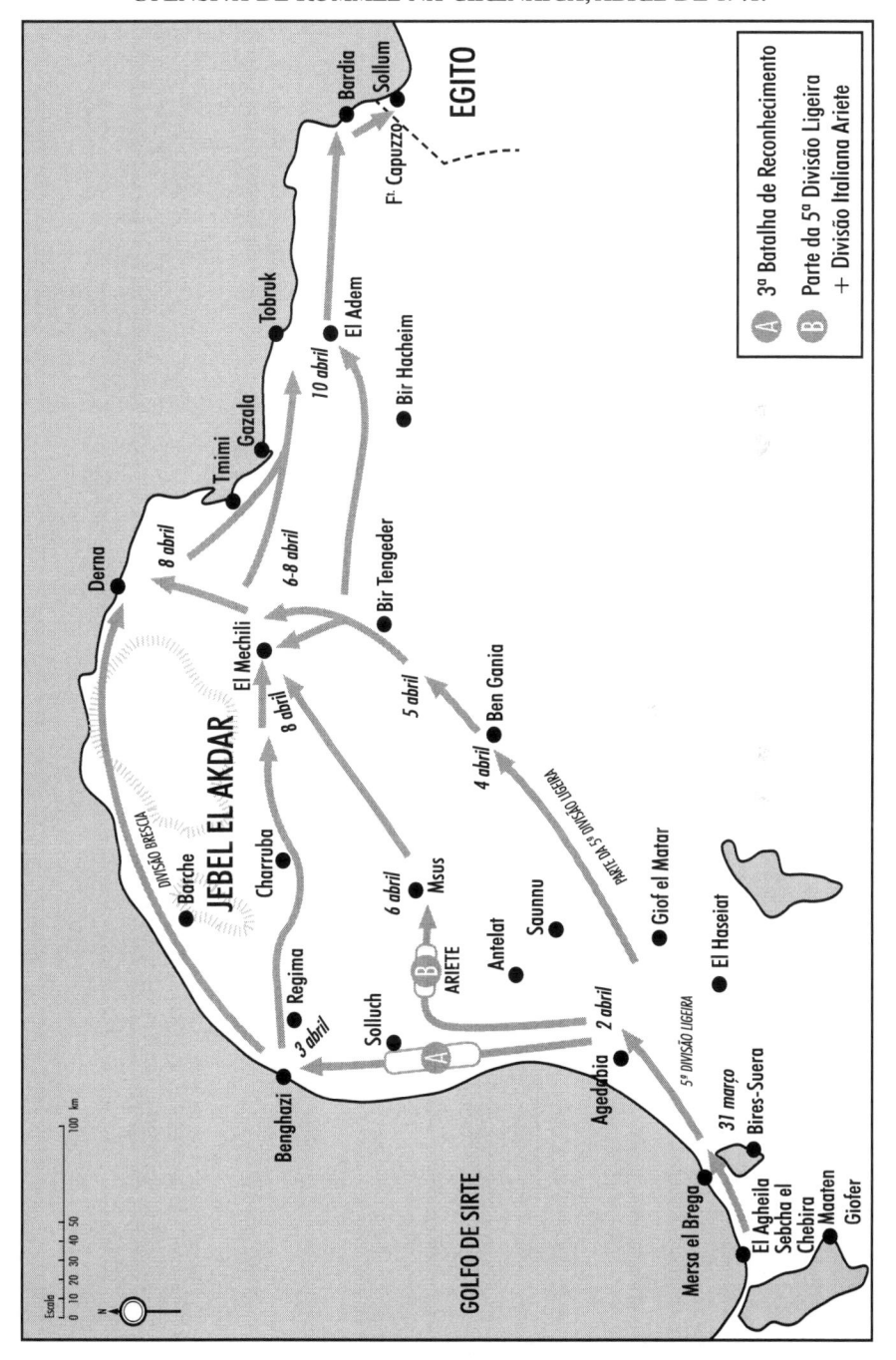

britânico, poderia ser mantida sem maiores problemas, pelo menos até o início do verão de 1941. Isso era importante porque Wavell recebera ordens de Londres, em meados de fevereiro, para preparar uma expedição em socorro à Grécia, o que o levara a deter a bem-sucedida ofensiva de O'Connor às portas da Tripolitânia e a enviar três divisões veteranas e uma brigada blindada em socorro dos gregos.

Mas Rommel, usando sua excepcional capacidade de percepção de situações taticamente promissoras, não demorou a sentir que as forças britânicas estavam desequilibradas, e com a audácia e espírito de jogador que lhe eram peculiares, planejou um movimento ofensivo, apesar de se encontrar em uma situação relativamente fraca.

Ordenando que suas forças dirigissem-se a El Agheila, embarcou para Berlim esperando obter aval para sua ofensiva. Em 19 de março, encontrou-se com o Führer, que lhe concedeu as Folhas de Carvalho para sua Cruz de Cavaleiro, mas não lhe deu a autorização almejada. Ao contrário, Brauchtisch, comandante em chefe do exército, reiterou a posição secundária que o teatro africano ocupava nas priori-dades estratégicas alemãs, enfatizando que não seriam enviados reforços a Rom-mel num futuro próximo e proibindo-o de atacar antes da chegada da 15ª Panzer.

Mas um comando independente, situado a quilômetros de distância do quartel-general de Hitler, convinha perfeitamente ao temperamento autônomo de Rommel. Retornando à África e reavaliando a situação, ele convenientemente "esqueceu" de tudo que acordara com seus superiores e atacou.

A CORRIDA DA SORTE

Em 24 de março, as forças alemãs atacaram e, com surpreendente facilidade, tomaram El Agheila, tendo os britânicos recuado para o desfiladeiro de Mersa el Brega, distante 64 km.

A expedição grega cobrava sua fatura. A frente britânica era mantida por soldados inexperientes, dirigidos por comandantes também sem experiência cujos planos não se adaptavam ao terreno que deveriam defender, nem ao tipo de adversário que enfrentavam. O experiente general O'Connor encontrava-se em Suez, sendo substituído pelo general Neame, que não elaborara nenhum plano tático viável.

Rommel tinha indícios da fraqueza do dispositivo britânico obtidos pela interceptação das comunicações de rádio, pela falta de reação perante as suas sondagens, pela escassez de atividade aérea e pelas informações colhidas por seu eficiente esquadrão de reconhecimento aéreo.

Encorajado pelo fácil sucesso, ele não via razões para parar e uma semana depois do primeiro ataque avançou para o próximo objetivo. A posição de Mersa el Brega tinha defesas naturais que os britânicos procuravam reforçar com formações de infantaria e de artilharia. Mas a recusa do general Gambier-Parry, comandante da 2ª Divisão Blindada, em montar um contra-ataque com seus tanques, alegando que restavam poucas horas de claridade, impossibilitou Neame de defender a posição.

Rommel vencera o primeiro *round* contra os britânicos e seu próximo objetivo era explorar essa vitória. O DAK vencera sua primeira batalha, adquirindo confiança e expulsando o inimigo de uma posição defensiva natural, obrigando-o a recuar para o deserto aberto, dando a Rommel espaço para manobrar.

Neame recuava para o porto de Bengazi, e Rommel correu o risco premeditado de dividir seu ataque em três direções, decidido, segundo suas próprias palavras "a manter-me no encalço do inimigo que recuava, e tentar tomar toda a Cirenaica de um só golpe". O ataque de três pontas convergiu sobre El Mechili, uma garganta que as tropas britânicas tinham que atravessar, demonstrando os efeitos espantosos da Blitzkrieg no deserto. O general Gambier-Parry foi capturado em sua barraca, a 6 de abril, com uma brigada motorizada indiana, por uma força alemã vinda da retaguarda das defesas britânicas, e ao anoitecer do mesmo dia, o carro de estado-maior em que viajavam os generais Neame e O'Connor, chamados de volta de Suez, foi capturado por uma coluna de motociclistas germânica. A espantosa velocidade e agilidade do avanço alemão provocou o colapso das formações de recrutas britânicos. A 9ª Divisão Australiana concentrou-se em Tobruk, mas a estrada para o Egito estava aberta.

O avanço não foi conseguido sem ônus. Um esforço enorme estava sendo imposto ao equipamento alemão, não projetado para operar nas condições climáticas do deserto, e sequer foi dado tempo aos mecânicos e técnicos para corrigir os eventuais defeitos. O general Strich, comandante da 5ª Ligeira, reiteradamente chamou a atenção de seu comandante para o estado calamitoso de seus veículos, mas a reação do general foi a de não permitir que se perdessem oportunidades por causa de "bagatelas". A partir da tomada de Bengazi, o expediente de usar material rodante capturado dos britânicos foi um recurso cada vez mais constante.

A chegada à frente do general von Prittwitz com a 15ª Divisão Panzer pôde manter o impulso ofensivo alemão. Enviada com pressa desnecessária e prejudicial ao ataque a Tobruk fracassou ao intentar o primeiro assalto e teve entre as baixas fatais seu próprio comandante.

Rommel (à esquerda) em uma conferência de comando na África.

A defesa de Tobruk foi conduzida com determinação pelo general Morshead, que emitiu a seguinte ordem: "Não haverá Dunquerque aqui. Se tivermos que sair, sairemos lutando". O porto de Tobruk, dada sua importância estratégica para o estabelecimento de uma rota de abastecimento através do Mediterrâneo, deveria ser mantido a qualquer custo. Churchill determinou que se cobrasse pela conquista um preço que os alemães não pudessem pagar.

O próprio Rommel foi à frente para tentar a tomada do porto, levando a 5ª Ligeira e a Divisão Italiana Ariete, num combate que lembrava as bem-sucedidas penetrações blindadas na França. Fracassou, fez nova tentativa e fracassou novamente, até que em 4 de maio desistiu de varar as defesas. Divisões italianas foram trazidas da retaguarda para substituir as forças do DAK, tendo início o cerco da praça forte.

Para poder manter o sítio de Tobruk e ter uma posição defensiva sólida, Rommel fez ocupar por um grupo móvel o desfiladeiro de Halfaia, que guarneceu com poderosa artilharia. Usou também uma **bateria** dos "88", que lhe haviam conseguido a vitória de Arras. A Cirenaica, à exceção de Tobruk, estava em mãos alemãs. A ofensiva de Rommel, mesmo que improvisada, fora um sucesso absoluto. A máquina propagandística alemã começou a criar em torno de Rommel a lenda de que ele era imbatível.

O VERÃO DE 1941

Mas, em Berlim, o cenário era outro. O Estado-Maior Geral, que a contra gosto autorizara a ofensiva, começava a pensar que as coisas estavam um pouco confusas. Seu chefe, o general Halder, observava em seu diário "que seus veículos motorizados estão em más condições e muitos motores dos tanques precisam ser substituídos. O transporte aéreo não pode, por si só, satisfazer as necessidades de abastecimento do DAK, principalmente em razão da falta de combustível", e enviou o general von Paulus à África para examinar a situação e fazer um relatório.

O relatório apontava as falhas de planejamento de Rommel na operação contra Tobruk e marcava-o como um "amador teimoso" e logisticamente fraco. Vetava qualquer avanço futuro antes da tomada de Tobruk e apontava que as dificuldades de transporte de suprimentos pelo Mediterrâneo tornavam desaconselhável enviar mais reforços para um teatro de guerra secundário.

Do lado britânico, como o deserto africano era o único lugar onde as forças do Império podiam combater os alemães em terra, todos os esforços deveriam ser feitos para não só defender o Egito, como também conseguir uma grande vitória sobre o DAK de Rommel e levar a cabo a intenção inicial de O'Connor de limpar inteiramente a África do norte. Portanto, longe de ser um teatro secundário era o cenário principal.

Assim, Churchill pressionou Wavell para que atacasse os alemães sem perda de tempo. O general o fez em 15 de junho, na Operação Machado de Batalha. Enquanto a 4ª Indiana avançaria diretamente sobre as posições alemãs em Halfaia, a 7ª Blindada se desviaria para o sul alcançando Sidi Omar, de onde rumaria para o norte envolvendo o inimigo pela retaguarda. Era um plano ortodoxo, elaborado às pressas, que tinha suas possibilidades de sucesso condicionadas a duas premissas: um esmagador apoio de artilharia e superioridade aérea. Como não tinha nem uma coisa nem outra, falhou.

O fogo dos canhões de 88 mm foi tremendamente eficaz, destruindo os tanques britânicos e paralisando o avanço na área de Halfaia, enquanto no sul Rommel concentrou a 5ª Ligeira e a 15ª Panzer contra a Divisão Blindada Britânica, obtendo um golpe decisivo em 17 de junho. A Operação Machado de Batalha perdera a eficácia.

O fracasso da ofensiva provocou a demissão dos generais comandantes das divisões envolvidas, e a do próprio Wavell, tendo repercutido por todo exército britânico. Ao demitir seus comandantes, por erros táticos e estratégicos, os britânicos

Deutsches Bundesarchiv

De seu Volkswagen de comando, Rommel dirige as operações.

implicitamente admitiam sua inferioridade de comando diante de Rommel. Churchill ajudou a máquina de propaganda alemã a robustecer a lenda da "raposa do deserto". A captura de três generais e a demissão de três outros em tão curto espaço de tempo teve um profundo efeito psicológico sobre as forças britânicas do deserto, que passaram a acreditar na lenda que se criou em torno de Rommel e na inutilidade de se fazer qualquer esforço para detê-lo.

Na verdade, enquanto os britânicos permaneciam soldados de infantaria, que pensavam e lutavam em formações lineares, de uma maneira muito convencional, Rommel tornara-se um especialista na guerra blindada. Na França, aprendera que a infantaria e os tanques devem trabalhar em estreito contato, e agora no deserto fazia com que os tanques operassem o mais concentrados possível. Havia também constatado o valor do **canhão de 88 mm** como arma antitanque e a necessidade de a infantaria operar sempre com uma cortina protetora antitanque, formando um ponto de apoio ao redor do qual os blindados poderiam manobrar. O que limitava sua liberdade de ação era a insuficiência dos suprimentos, problema que tenderia a se agravar com a invasão alemã à União Soviética em 22 de junho. A Frente Russa era a prioridade absoluta da Wehrmacht.

Os dois exércitos do deserto dedicaram-se inteiramente à reorganização, ao reagrupamento das respectivas forças e ao planejamento.

As cartas de Rommel para sua esposa nesse período estão repletas de referências a seus sucessos bélicos e a seus fracassos em lidar com o cotidiano da vida no deserto. A comida da qual seu estômago ressentia-se, as moscas e os percevejos onipresentes e, sobretudo, o calor, que mesmo à noite faz "a gente ficar rolando na cama e alagado de suor".

NOTA

[1] A colônia italiana da Líbia era formada por duas divisões territoriais, a Cirenaica, a leste, e a Tripolitânia, a oeste.

OFENSIVA E CONTRAOFENSIVA

O substituto de Wavell no comando das forças britânicas no deserto, Claude Auchinleck, dotado de um temperamento forte, resistiu aos apelos de Churchill para que passasse rapidamente à ofensiva contra as forças alemãs. Ao contrário, utilizou-se dos meses restantes do verão e do outono para treinar suas unidades, aclimatar os reforços recebidos e promover uma reorganização.

O 8º Exército, como a Força Britânica do Deserto Ocidental passara a se chamar, compreendia os 13º e 30º Corpos e foi entregue ao general Cunningham. Grandes carregamentos de homens e material dirigiram-se ao Egito, transportados pela longa rota do cabo da Boa Esperança, o que permitiu a formação de cinco divisões de infantaria, uma blindada e duas brigadas blindadas independentes. O total de blindados disponíveis elevou-se a 765.

Do lado alemão, a 21ª Divisão Panzer foi formada a partir da 5ª Ligeira, passando a integrar o DAK. Além disso, havia uma nova divisão, a 90ª Ligeira, e um comando de artilharia sob o general Böttcher. As forças italianas constituíam-se da Divisão Ariete, blindada, e da Trieste, motorizada, agrupadas no 10º Corpo Motorizado, mais quatro divisões de infantaria. Todas as forças ítalo-alemãs no deserto passaram ao comando de Rommel, constituindo o **Panzergruppen Afrika** (Grupo Blindado África), sendo o DAK comandado pelo general Cruewell. Não houve maior significado para Rommel a troca de Graziani pelo general Bastico como seu superior.

Apesar de poder contar com uma força mais equilibrada, Rommel não recebeu grandes reforços. O total de blindados alemães era de 250 tanques, a maioria compondo-se dos modelos **PzKpfw** III e IV, além de 150 tanques dos italianos, de um modelo antiquado. A superioridade britânica em blindados era anulada na prática, pois eles não operavam concentrados, mas divididos em grupos independentes, o que permitia que o DAK e a Divisão Ariete, operando em conjunto, enfrentassem grupo por grupo em separado. Além disso, os tanques alemães mostraram-se mecanicamente superiores aos britânicos, e seus serviços de manutenção mais bem organizados.

As concepções táticas de Rommel que se haviam mostrado tão eficientes no deserto nortearam o treinamento do Panzergruppen. As grandes batalhas de tanque contra tanque, do agrado dos britânicos, deveriam ser evitadas, atraindo-se os blindados inimigos para uma cortina antitanque, na qual seriam destruídos. Então, os blindados alemães avançariam contra a infantaria desprotegida, conservando-se sempre uma reserva poderosa pronta a intervir nos momentos cruciais. A ênfase do treinamento baseou-se no conceito de grupo de batalha de todas as armas, no qual infantaria, blindados e artilharia, trabalhavam em estreita cooperação, e com o apoio cerrado da força aérea.

Em novembro, Rommel planejara e estava pronto a efetuar novo ataque contra Tobruk, que, cercada, continuava a resistir. Dado o completo silêncio radiofônico britânico, Cruewell advertiu seu comandante de que algo estava por acontecer. A ofensiva britânica, a Operação Cruzado, surpreendeu Rommel por completo.

Na noite de 17 de novembro, a casa em Beda Littoria usada como Q-G do Grupo Panzer, e onde os britânicos pressupunham que Rommel estava residindo, foi atacada por uma força de comandos britânicos desembarcada por submarinos. O ataque falhou. O general estava em Roma, em uma conferência de comando. É interessante observar a importância que os britânicos davam à lenda da invencibilidade de Rommel, uma vez que procuraram deixar a força inimiga acéfala, antes do início da batalha.

A Operação Cruzado começou em 18 de novembro, com o avanço do 30° Corpo, que desbordou a posição fortificada de Solum, avançando pela estrada costeira no aguardo da reação alemã. Como não se houvesse materializado reação alguma, uma vez que Rommel julgou o avanço inimigo nada mais que um reconhecimento de sondagem, os britânicos prosseguiram dispersando suas unidades blindadas. A primeira reação germânica ocorreu dois dias depois com um ataque à 7ª **Brigada Blindada**, em Sidi Rezegh.

Ao redor dessa localidade, travou-se uma feroz batalha de tanques. Deixando-se influenciar de modo otimista pelos resultados da batalha, Cunningham ordenou que a ala norte de suas forças se dirigisse a Tobruk, para apoiar a guarnição da praça-forte que tentava uma surtida.

Rommel, avaliando que "a situação era muito crítica", reagiu com vigor. Nessas situações de emergência, mesmo envolvendo-se em pequenos combates que às vezes o faziam perder a noção do quadro geral, ele estava em melhor posição para resolver prontamente as situações confusas do que seus congêneres britânicos, que não tinham envolvimento pessoal nas batalhas, comandando de Q-Gs à retaguarda.

Agrupando alguns "88", estabeleceu pessoalmente uma situação de bloqueio que resultou na destruição de um batalhão blindado britânico. No dia seguinte, o DAK, operando de forma concentrada, conseguiu atacar as formações blindadas britânicas, uma de cada vez, e derrotá-las separadamente. Destruiu a 4ª Brigada Blindada, e a 7ª Blindada sofreu séria devastação, perdendo quase todos os tanques.

Nessas batalhas, o combate ocorria à máxima distância possível que permitia a visibilidade enganadora do deserto. O padrão de tiro de ambos os lados deixava muito a desejar. Mas os artilheiros alemães contavam com um equipamento ótico superior e optaram por uma técnica de disparo a partir de posições estacionárias, ao contrário dos britânicos, que muitas vezes preferiam disparar em movimento.

O número de baixas em batalha era muito menor que o provocado por defeitos mecânicos. O estado muito variável dos tanques dos dois antagonistas refletia tanto o empenho dos mecânicos de grupos de reparo e manutenção, como a destruição causada pelos artilheiros. A ocupação do cenário de uma batalha de blindados, o denominado "cemitério de tanques", pelas equipes de reparos, era considerada uma vitória, pois permitia resgatar muitos tanques e transformá-los em operacionais novamente. Nisso os alemães eram mais eficientes que os britânicos, tendo desenvolvido um veículo pesado especialmente para a tarefa. Inversamente, ignorar uma área que se sabia estar cheia de blindados inimigos destruídos ou enguiçados, sem tentar rebocá-los ou completar sua destruição, consistia em uma falta tática grave.

Terminara a primeira fase da ofensiva britânica em 23 de novembro, e o general Cunningham, comandando bem à retaguarda da frente de batalha, teve a sensação de haver vencido. Mas quando o general chegou à área avançada, constatou a enormidade de suas perdas, em grande parte causadas pela superioridade tática alemã. Enquanto os britânicos tendiam a atacar diretamente, no estilo da cavalaria, os alemães lutavam defensivamente, atraindo-os para posições preparadas de canhões antitanque, em especial para os mortais "88", adaptados de seu papel antiaéreo. Das três brigadas blindadas britânicas com as quais iniciara a batalha, só a 22ª tinha um efetivo em tanques suficiente para torná-la operacional.

Os tanques são essencialmente uma arma ofensiva. Para que se possa obter o máximo efeito, deve ser utilizada quando o inimigo estiver desequilibrado. Rommel ergueu uma linha de pontos fortes isolados atrás da fronteira egípcia, guarnecendo-os com infantaria sob a proteção de canhões antitanque, e posicionou os regimentos Panzer bem à retaguarda, de onde poderiam contra-atacar para o sul, em direção da fronteira, ou para leste, contra Tobruk, caso a guarnição da praça tentasse uma surtida para se unir à ofensiva britânica, em um exemplo clássico do uso de blindados na defesa.

Cunningham, que jamais comandara massas tão importantes de blindados e de tropas de combate, esteve perto do colapso nervoso ante o volume de suas perdas. Ordenou que todos os contatos com o inimigo fossem interrompidos e que o 8º Exército recuasse imediatamente para o Egito, para pôr-se a salvo da destruição iminente, que segundo ele se daria pelo prosseguimento dos movimentos ofensivos. Rommel impusera-se moralmente ao comandante britânico, que em menos de uma semana passara de um estágio de otimismo para um profundo derrotismo. Auchinleck não compartilhava da mesma opinião, e compreendendo que os alemães também enfrentavam problemas, ordenou que a batalha prosseguisse com os britânicos mantendo suas posições, ao mesmo tempo em que nomeou um novo comandante para o 8º Exército, o general

Rommel prestes a embarcar em um avião-transporte para atender a uma conferência em Roma. África, novembro de 1941.

Neil Ritchie, em 26 de novembro, num já costumeiro padrão de mudança de comandante no calor da batalha adotado pelos britânicos.

Nessa altura dos acontecimentos, Rommel cometeu uma grave falha tática, que se tornou uma das mais comentadas das muitas de suas decisões controvertidas. Deixou de dar o golpe de misericórdia nos britânicos em Sidi Rezegh – onde poderia ter obtido uma vitória total se mantivesse a pressão ofensiva sobre suas brigadas blindadas por mais 24 horas – para executar um movimento impetuoso ao longo da fronteira egípcia, visando às suas comunicações. Permitiu, assim, que os abalados britânicos recuperassem grande parte de seus tanques abandonados no local de seu recente revés, e possibilitou a restauração de sua capacidade ofensiva.

Rommel ordenou uma varredura para a retaguarda do 13º Corpo, a fim de isolá-lo de sua base logística, levando as forças alemãs para além da fronteira egípcia. Estrategicamente muito arrojado, o plano era promissor, mas assentava-se em uma base tática fraca, pois enquanto a 21ª Panzer foi dirigida pessoalmente por Rommel, o restante das forças alemãs seguiram despreparadas e aos bocados para o Egito, contrariando a máxima de operar sempre de forma concentrada. A grande incursão, conhecida como "corrida contra a cerca" fracassou, e, como todo fracasso, foi objeto de severas críticas a seu líder.

Uma jornada dessa envergadura exigia ao menos três condições que os alemães não tinham:

1. Ótimas comunicações radiofônicas.
2. Conhecimento prévio da localização das posições inimigas – dois grandes depósitos de suprimentos britânicos localizados no caminho da fronteira egípcia foram ultrapassados sem que se tivesse conhecimento deles.
3. Estrito controle da batalha por parte do comandante – durante dois dias, Rommel não estivera presente em seu Q-G, mas liderando uma formação blindada na ponta do avanço, o que implica dizer que ele perdera o controle geral da incursão.

Assim, no Q-G do DAK, o caos e a desordem eram totais e, em 27 de novembro, o próprio Rommel reconheceu que sua incursão havia falhado e recuou. Os alemães haviam deixado escapar a oportunidade de liquidar de vez os britânicos. O 8º Exército manteve-se firme e recuperou seu equilíbrio, graças à injeção de combatividade dada por seu comandante. Nas palavras de Churchill: "O procedimento de Auchinleck salvou a batalha e provou suas notáveis qualidades de comandante".

No começo de dezembro, as forças ítalo-germânicas abandonaram o cerco a Tobruk e recuaram para uma nova linha defensiva em torno de Gazala. Com sua habilidade costumeira, Rommel rompeu o contato com os britânicos, mas

O DAK havia sofrido pesadas baixas em homens e tivera muito equipamento destruído, e como não haviam chegado reforços nem suprimentos, a nova linha de defesa era extremamente vulnerável. Quando os britânicos alcançaram-na e iniciaram sondagens para um ataque, Rommel decidiu encurtar suas linhas de suprimentos e recuar para El Agheila.

Os argumentos do Alto-Comando Italiano, de que a Cirenaica deveria ser defendida por "motivos políticos", não foram convincentes para mudar a opinião de um Rommel inflexível, destinado a manter sua força intacta, como a única forma de controlar os acontecimentos.

Foi uma retirada em combate, com os blindados alemães protegidos por uma cortina de canhões antitanque, supervisionando o recuo das formações de infantaria e aproveitando todas as oportunidades para fustigar um inimigo que apresentava problemas de suprimentos para manter o vigor da perseguição. Nas palavras de Cruewell: "O Afrikakorps era uma força batida, mas não desanimada. Não havia indícios de frouxidão no moral de nossas tropas de retaguarda. Resistíamos e lutávamos onde quer que o terreno oferecesse elevações".

O exército ítalo-germânico alcançou a relativa segurança de uma posição que dispunha de defesas naturais, em 6 de janeiro de 1942. A Operação Cruzado foi a primeira vitória britânica sobre os alemães na Segunda Guerra Mundial.

REAÇÃO ENÉRGICA RUMO À GAZALA

Em meados de janeiro de 1942, Rommel começou a pensar em retomar a ofensiva. Os alemães encontravam-se muito mais perto de sua base e dos portos de abastecimento que os britânicos, cujas forças estavam excessivamente estendidas. Rommel tinha recebido algum reforço, principalmente 55 tanques PzKpfw IV, e escreveu a sua esposa:

> A situação está se desenvolvendo a nosso favor e estou cheio de planos que não me atrevo a comentar com mais ninguém, pois achariam que estou louco. Mas não estou: simplesmente vejo um pouco mais longe que eles. Você me conhece. Quantas vezes, no ano passado e na França, pus em execução planos elaborados apenas poucas horas antes. Se foi sempre assim, haverá de ser no futuro.

Rommel planejou uma incursão para eliminar a ameaça britânica contra a Tripolitânia. Evitou cuidadosamente informar aos seus colegas italianos e ao

Alto-Comando Alemão e simulou ações que prenunciavam uma retirada, a fim de iludir o reconhecimento aéreo inimigo.

Em 20 de janeiro, Rommel investiu, lançando seus tanques em um ataque de dois eixos, em uma demonstração de agilidade e oportunismo. Seu objetivo era atrapalhar a marcha de aproximação e retardar a ofensiva inimiga. Em 25 de janeiro, a 1ª Divisão Blindada Britânica, recém-chegada ao deserto, fora derrotada ao redor de Msus. Ritchie, o novo comandante britânico, impressionado com a velocidade do avanço alemão, esperava que as Panzer atacassem Mechili, como haviam feito na primavera passada, e concentrou seus blindados num ponto de onde pudessem anular esse movimento. Rommel, no entanto, conduzindo pessoalmente os elementos móveis da 90ª Ligeira com alguns tanques, rumou para Bengazi, enquanto o DAK executou um ataque simulado contra Mechili. Como resultado, Bengazi caiu em 29 de janeiro.

Se o comando britânico era obrigado a aceitar, com humildade, a superioridade tática alemã e a habilidade de seu comandante, a ponto de reconhecer que só com uma vantagem de dois para cada tanque alemão poderiam enfrentar abertamente Rommel com sucesso, o Alto-Comando Italiano por seu lado, não se mostrava entusiasmado com estas "aventuras ofensivas". Lê-se no diário de Rommel, a 23 de janeiro:

> O marechal Cavallero trouxe hoje de Roma as instruções do Duce para a futura conduta da guerra. Roma não está contente com meu ataque e desejaria detê-lo. Cavallero disse-me: "Agora chega de ofensiva e voltemos à nossa posição em Brega". Insurgi-me contra essa sugestão e declarei-lhe estar disposto a combater o inimigo enquanto as minhas tropas e meu abastecimento o permitirem. Afinal, o exército blindado acha-se de novo em condições de lutar e os primeiros reencontros assim o mostraram. Continuamos a combater.

Era fato que Rommel conquistara outra grande vitória ao tomar Bengazi. Ao entrar na cidade, trazia no bolso um comunicado de Mussolini, autorizando-o a continuar o avanço que acabara de completar, seguido, quase que imediatamente, de outro oriundo do OKW, que trazia sua promoção a coronel-general. Foi também agraciado com Espadas para sua Cruz de Cavaleiro da Cruz de Ferro com Folhas de Carvalho. Era o sexto membro da Wehrmacht a receber esta alta condecoração. Seu nome transformou-se num símbolo de esperança na Alemanha, para compensar as seguidas derrotas impostas pelos soviéticos que a fizeram recuar dos arredores de Moscou.

Deutsches Bundesarchiv

Rommel estuda detalhes no mapa durante a segunda ofensiva alemã na Cirenaica.
África, fevereiro de 1942.

Rommel gostaria de prosseguir na ofensiva rumo ao leste, mas suas reservas de combustível mal davam para a jornada, quanto mais para enfrentar uma batalha cerrada. Só podia sondar, o que era altamente frustrante, uma vez que suas perdas materiais haviam sido leves e seus homens encontravam-se descansados e cheios de confiança nele. Além disso, Rommel podia contar com admiradores até entre os próprios soldados britânicos, que reconheciam nele o tipo de gênio tristemente ausente entre seus próprios líderes. Churchill ajudou a consolidar sua imagem referindo-se a Rommel como "um grande general", em parte como desculpa, mas com um verdadeiro toque de melancolia. A seguinte ordem do dia britânica é claramente elucidativa:

> Ordem do comandante em chefe do Oriente Médio.
> A todos os comandantes de grupos e de unidades do Grande Quartel-General e das tropas do Oriente Médio
>
> Existe, na verdade, atualmente, o perigo de que o general Rommel venha a tornar-se para as nossas tropas o "fantasma negro", unicamente por que se fala muito dele. Por muito enérgico e competente que ele seja, não se trata absolutamente de nenhum super-homem. Ainda que ele fosse um super-homem, não seria desejável que nossos homens lhe atribuíssem forças sobrenaturais. Peço-lhes, portanto, que façam saber por todos os meios disponíveis, que Rommel não passa de um general alemão como qualquer outro. Cumpre cessar com a ideia de que, quando pensamos no inimigo na Líbia, estamos falando de Rommel. Devemos aludir aos alemães, às tropas do Eixo ou ao inimigo, e jamais, num sentido especial, a Rommel. Peço-lhes fazerem de tudo para que assim seja, e de modo a que todos os chefes de unidades que lhes estão subordinados saibam que este assunto tem uma grande importância psicológica.
>
> Assinado: C. I. Auchinleck
> Comandante Supremo das Tropas no Oriente Médio
>
> P.S. Eu não tenho qualquer inveja de Rommel.

O pós-escrito apresenta um toque pessoal bastante frequente nas ordens do Alto-Comando Britânico, atitude absolutamente inadmissível no exército alemão.

Em fins de janeiro, Ritchie, com grande parte de suas forças móveis destruídas, recuou o 8° Exército para uma posição defensiva artificial em Gazala, que protegia as áreas adjacentes ao porto de Tobruk, estabilizando a situação. Na primavera de 1942, ambos os lados se dedicaram à preparação para reiniciar as operações ofensivas.

Na opinião de Rommel, a guerra no deserto não poderia continuar seguindo o mesmo padrão por muito mais tempo. Cada sucesso local do DAK parecia apenas adiar a recuperação dos britânicos, e dada a enorme quantidade de suprimentos de material que o Reino Unido e os Estados Unidos[1] estavam despejando no Egito, se não se conseguisse uma vitória decisiva num futuro próximo, as forças ítalo-germânicas seriam simplesmente esmagadas. Além disso, Rommel pensava que seria apenas uma questão de tempo até que os britânicos desenvolvessem uma tática igual à dele. Até então, as batalhas do Eixo no norte da África ou foram de natureza defensiva, como a resposta à Operação Cruzado, ou de destruição, como o avanço em direção à Linha de Gazala. Agora, Rommel planejava limpar para sempre as costas da África do norte da influência britânica, operando sua destruição em Gazala, tomando Tobruk, e invadindo o Egito, a fim de se apoderar do canal de Suez.

Tarefa de difícil realização, uma vez que Rommel estava na extremidade da precária linha de abastecimento alemã e encontrava a maior dificuldade para manter sua força e sua capacidade de ação, por dois fatores: a incapacidade da marinha italiana em manter seguras as rotas de abastecimento pelo Mediterrâneo e o potencial destrutivo da ilha de Malta, base britânica, localizada a meio caminho entre a Sicília e a Líbia.

Rommel não contava com o apoio de Mussolini e do Alto-Comando Italiano, para suas "aventuras africanas", tendo sido reiteradamente advertido a não ir longe demais, uma vez que seus suprimentos de combustível estavam no fim, e que seu plano apoiava-se apenas na prévia defesa da Tripolitânia, e nada mais.

Por outro lado, ele estava confuso com a falta de orientação de Berlim, pois a estratégia de Hitler omitia o Mediterrâneo, enquanto seus olhos se voltavam para a campanha da Rússia, em particular para os campos petrolíferos do Cáucaso. Hitler estava tão voltado para o continente europeu que era incapaz de avaliar corretamente os obstáculos criados pelo poder naval britânico e suas implicações indiretas para seus planos continentais. Ele não conseguia vislumbrar a importância vital de anular as bases que faziam da Grã-Bretanha uma potência naval, especialmente as que estavam ao alcance de suas forças terrestres, como Gibraltar, Malta e Suez, antes de empenhar-se em novos objetivos.

Assim, em março, ele dirigiu-se ao Q-G de Hitler para advogar em favor de reforços que lhe permitissem executar suas ambições no Egito. Mas viu-se frustrado. O Alto-Comando continuava a considerar a África do norte um teatro secundário. O general Franz Halder, chefe do estado-maior do exército, tinha uma opinião muito pejorativa sobre Rommel, a quem se referia nos seguintes termos: "As falhas de caráter de Rommel o definem como um fenômeno particularmente desagradável, alguém com quem ninguém deseja uma briga, pois seus métodos são brutais". Ele influenciou muito a decisão de Hitler em não concordar com o envio das três novas divisões Panzer solicitadas.

Dada a problemática situação das rotas de abastecimento no Mediterrâneo, era de duvidar que se pudessem suprir adequadamente as novas divisões pedidas por Rommel. Mas, como prêmio de consolação, o general obteve a promessa de ver Malta, "a ilha que devorava o abastecimento" neutralizada. O marechal de campo Alfred Kesselring, responsável pelo abastecimento na área do Mediterrâneo e comandante da 2ª Frota Aérea alemã, localizada no sul da Itália e na Sicília, iniciou violentos ataques aéreos contra essa ilha a partir de março.

A ofensiva aérea contra Malta atingiu seu ápice nos meses de abril e maio, com mais de 700 aparelhos bombardeando incessantemente a ilha, o que ajudou a remessa de suprimentos para a África. A marinha italiana conseguiu transportar com segurança cerca de 60 mil toneladas de combustível e 150 mil toneladas de munição, com apenas 1,1% de perdas, atingindo, assim, a mais elevada cota de transportes da guerra.

Numa conferência realizada em abril, para tratar da futura estratégia da guerra, Hitler, Mussolini e Kesselring concordaram em permitir que Rommel atacasse o 8º Exército, na chamada Operação Teseu, mas com um escopo limitado. Assim que Tobruk fosse tomada, ele deveria passar à defensiva, para permitir a concentração dos recursos aéreos necessários à invasão ítalo-germânica de Malta (Operação Hércules). Como o general Cavallero explicou a Rommel: "Uma vez ocupada Tobruk, a faixa de Tobruk até o Nilo será para o senhor pura poesia".

Assim, as operações do Eixo no Mediterrâneo em 1942, teriam um caráter puramente defensivo. Completar-se-ia a reconquista da Cirenaica, com a tomada de Tobruk, e Malta seria ocupada, para garantir a linha de suprimentos entre a Itália e a Líbia. Nada além disso.

Rommel compreendeu que a grande estratégia alemã mostrava-se tão favorável a ele quanto às preocupações da campanha russa o permitiam, e como era de seu feitio, procurou explorar as oportunidades.

Rommel, de seu veículo blindado de comando, dirige a batalha da Linha de Gazala de uma posição avançada. África, maio de 1942.

Retornando à África, completou os preparativos para a ofensiva, e em 25 de maio, véspera do ataque, escreveu a sua esposa: "Estamos hoje iniciando um ataque decisivo. Será difícil, mas estou plenamente confiante em que meu exército vencerá. Pretendo exigir muito de mim próprio, e espero muito de cada um de meus oficiais e soldados".

Os britânicos, por seu lado, especialmente Churchill, tinham-se tornado em 1942 abertamente obcecados com a luta no deserto. O Egito transformou-se no centro do maior esforço militar localizado do Império Britânico. A força do Comando do Oriente Médio elevou-se a meio milhão de homens, vindos não só da Grã-Bretanha, mas de todo império, australianos, neozelandeses, sul-africanos e indianos, mais contingentes de gregos, poloneses e franceses livres.[2]

Seu comandante, Auchinleck, acreditava que a inferioridade tática podia ser compensada com uma esmagadora maioria de homens, de equipamento, e de cuidadosa preparação. Entretanto, o longo prazo que isso requeria desagradou Churchill, que ordenou peremptoriamente que se atacasse em junho de 1942.

A BATALHA DA LINHA DE GAZALA

Em vez disso, Rommel atacou primeiro, em 26 de maio.

O Panzerarmee Afrika (Exército Blindado da África), como as forças ítalo-germânicas do deserto passaram a se chamar, compunha-se de quatro divisões de infantaria agrupadas nos 10º e 21º Corpos Italianos, da Divisão Blindada Ariete e da Motorizada Trieste, sob o 20º Corpo Italiano, da 90ª Divisão Ligeira Alemã, e do DAK com as 15ª e 21ª Divisões Panzer. Possuía 332 tanques alemães, incluindo 242 PzKpfw III, 19 PzKpfw III Especiais e 41 PzKpfw IV, e 228 blindados italianos, apoiados por 497 aviões de combate.

O 8º Exército Britânico contava com três divisões de infantaria, duas motorizadas, duas blindadas e mais quatro brigadas de infantaria e três brigadas blindadas, agrupadas nos 13º e 30º Corpos. Tinha 849 tanques, dos quais 167 eram Grants americanos armados com canhões de 75 mm, superiores a todos os tanques alemães com exceção dos 19 PzKpfw III Especiais, e contava com 190 aviões de primeira linha.

Os britânicos haviam se entrincheirado atrás de extensos campos de minas, que se estendiam por 65 km desde a pequena localidade costeira de Ain el Gazala para sudeste, até o ponto forte de Bir Hakeim bem fundo no deserto. A Linha de Gazala formava uma forte barreira protetora que o inimigo precisava romper, para poder investir até as fortificações que protegiam o porto de Tobruk, e refletia um estilo de defesa tipicamente europeu. Era um sistema de defesa aperfeiçoado, formado por pontos de apoio denominados *boxes*, com até 4 km de diâmetro, em meio a campos minados. Atrás de uma larga barreira de arame farpado, com posições camufladas de artilharia antitanque e de campanha, postos de escuta, ninhos de metralhadoras e trincheiras, a guarnição do **box**, normalmente com a força de uma brigada de infantaria, dispunha de largas quantidades de suprimento e munição para resistir por um bom tempo, e tinha como objetivo principal impedir que o adversário abrisse caminho no campo minado. Três brigadas blindadas formavam a defesa avançada da linha de *boxes*, com duas divisões motorizadas e duas blindadas concentradas à retaguarda, para anular qualquer penetração pelo flanco aberto do deserto.

Além disso, os *boxes* deveriam funcionar como ninhos de resistência que um inimigo ofensivo teria que neutralizar para prosseguir no ataque, sob pena de ser acossado pelos flancos e pela retaguarda, e ter sua linha de suprimentos cortada. E mesmo que ocupasse os *boxes*, teria que aguentar o assalto das forças móveis.

Rommel tinha apenas duas opções para uma ofensiva a uma linha de defesa dessa natureza. Ou efetuava um ataque frontal sobre os *boxes*, com a ruptura da frente seguida do aniquilamento das forças blindadas britânicas, ou então uma manobra de envolvimento da linha defensiva ultrapassando-a pelo sul, separando as forças posicionadas nos *boxes* das unidades blindadas que poderiam ser aniquiladas uma após a outra, para então voltar-se para a infantaria estática.

ATAQUE À LINHA DE GAZALA, MAIO DE 1942.

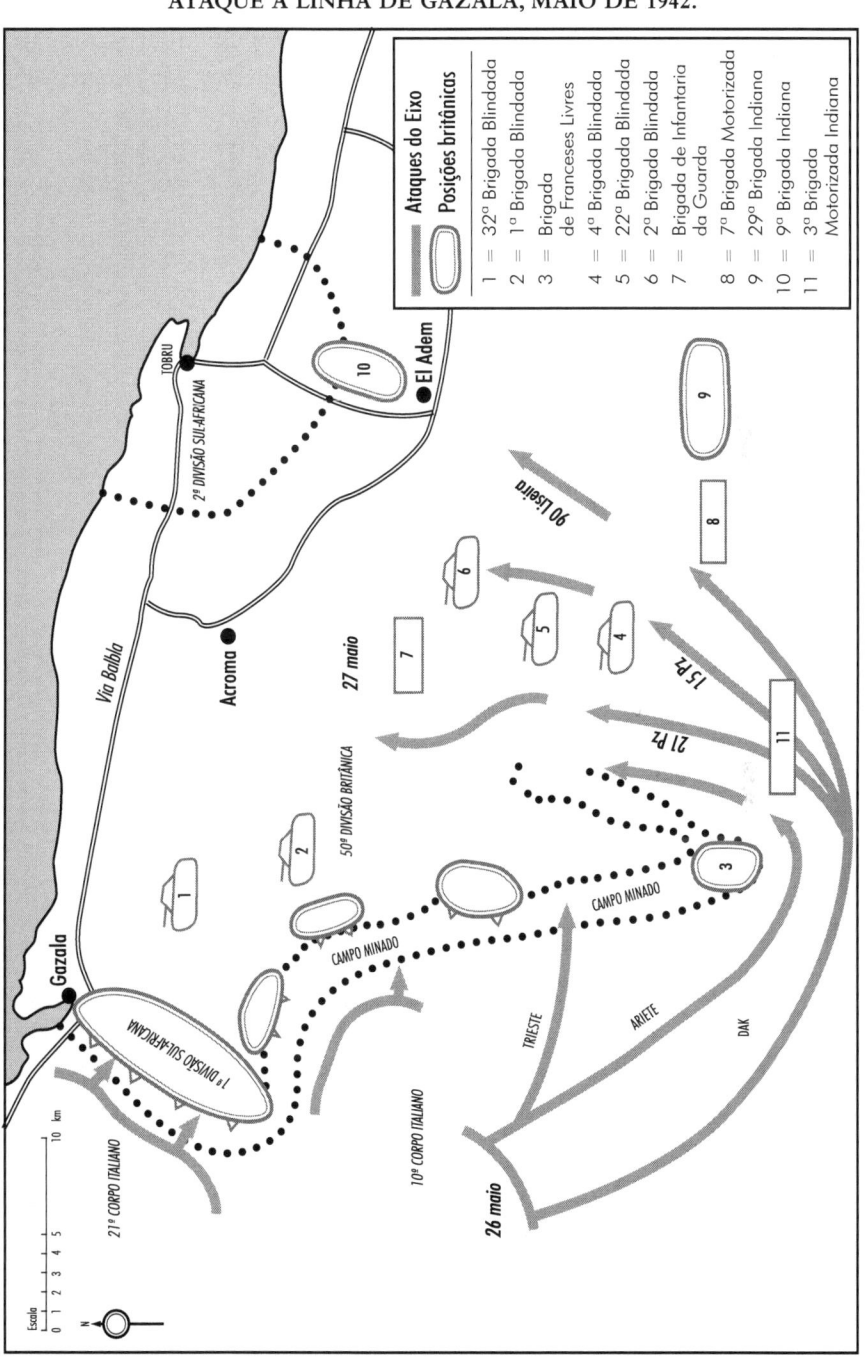

Ataques do Eixo
Posições britânicas

1 = 32ª Brigada Blindada
2 = 1ª Brigada Blindada
3 = Brigada de Franceses Livres
4 = 4ª Brigada Blindada
5 = 22ª Brigada Blindada
6 = 2ª Brigada Blindada
7 = Brigada de Infantaria da Guarda
8 = 7ª Brigada Motorizada
9 = 29ª Brigada Indiana
10 = 9ª Brigada Indiana
11 = 3ª Brigada Motorizada Indiana

Rommel não seria Rommel se não escolhesse a segunda opção.

A batalha foi travada em um quadrilátero de aproximadamente 4.500 km², limitado por Gazala e Tobruk ao norte, e Bir Hakeim e Bir el Gubbi ao sul. Essa área é cruzada lateralmente por três conjuntos de trilhas, que são atravessadas por outras três grandes trilhas no sentido norte-sul. Uma série de escarpas corre no sentido leste-oeste e corta o campo de batalha, e as principais ações bélicas deram-se ao sul dessas escarpas.

A Batalha de Gazala foi o ponto culminante de carreira de Rommel, tendo se estendido por quatro semanas e pode ser dividida em quatro fases distintas. A primeira, que durou de 26 a 29 de maio, viu os esforço vãos de Rommel para efetuar um rompimento nas linhas britânicas, atacando-as pela retaguarda.

Rommel traçara um plano de aproximação indireta contra o inimigo. O general Cruewell deveria atacar com as divisões italianas de infantaria, reforçadas pela 15ª Brigada de Fuzileiros, a área norte da frente, e manter a pressão para dar a ideia de que este era o ponto focal do esforço alemão. O golpe real seria vibrado pelas forças móveis – o 20° Corpo Italiano, a 90ª Divisão Ligeira e o DAK – que após um movimento inicial contra o centro da linha defensiva, se desviariam em direção sudeste, e durante a noite **flanqueariam** os britânicos, dirigindo-se para o norte. Seria apoiado por numerosas colunas motorizadas que transportavam suprimentos para manter o ímpeto da operação, durante os quatro dias que Rommel julgava suficientes para alcançar seus objetivos.

Fundamentalmente, o sucesso do plano dependia da eliminação do *box* de Bir Hakeim, localizado mais ao sul da Linha de Gazala, e da previsível reação da força blindada britânica. O 20° Corpo Italiano deveria eliminar a brigada de franceses livres que guarnecia Bir Hakeim, pois ela poderia interromper a linha de suprimentos alemã. Quanto à reação das unidades blindadas britânicas, o general Ritchie, que previra corretamente a manobra e as intenções de Rommel, desejava empregá-las em bloco para paralisar a ofensiva alemã.

Mas planejar é uma coisa, executar os planos é outra. De modo inexorável, a batalha adquire vida própria, e dá razão ao axioma do marechal Moltke, de que "plano algum sobrevive aos primeiros cinco minutos de choque com o inimigo". Ela logo se transforma numa expressão da capacidade dos estados-maiores em analisar corretamente, dos comandantes em improvisar de modo rápido, e dos soldados em se adaptarem à sucessão de situações únicas.

Foi o que sucedeu ao plano de Rommel. A manobra de envolvimento teve êxito parcial, mas a captura de Bir Hakeim falhou. Parte do 20° Corpo Italiano ficou atolado na areia fofa a caminho do *box* durante a noite de 26 de maio

Veículo blindado de comando meia-lagarta de Rommel. África, maio de 1942. Observe as antenas de rádio que circundam o teto do veículo e as latas de gasolina armazenadas.

e não pôde demolir o sistema de posições angulares do inimigo. Na noite de lua cheia, os dez mil veículos das colunas de transporte e das forças blindadas alemãs, que "como em gigantesco cortejo de espectros" dirigiam-se para o sul, foram avistados por blindados britânicos, o que tornou inútil a finta realizada por Cruewell ao norte da linha defensiva.

Rommel insistiu na ofensiva. Mesmo alertados para a presença alemã, os britânicos mostravam que não tinham aprendido nada das lições táticas anteriores, cometendo os mesmos erros. A 7ª Divisão Blindada foi muito lenta em reagir, e quando o fez, foi aos poucos. Como resultado, a 3ª Brigada Motorizada foi arrasada, e a 4ª Blindada, surpreendida no momento de entrar em ação, perdeu metade dos seus tanques e teve que abandonar o campo de batalha. No dia seguinte, o DAK e a 90ª Ligeira avançaram pela retaguarda britânica amealhando êxitos: o estado-maior da 7ª Divisão Blindada foi capturado. A 22ª Brigada Blindada combatendo isolada perdeu 30 de seus tanques. E alguns depósitos de suprimento foram tomados. Para alegria de Rommel, mas não para sua surpresa, os grupos de combate britânicos ofereciam-se um a um para a destruição.

Sua alegria se transformou em inquietação quando três brigadas blindadas convergiram sobre ambos os flancos de suas colunas, e deram de encontro ao desconhecido *box* de Knightsbridge. Localizado a cerca de 20 km à retaguarda do principal cinturão de minas, guarnecido pela aguerrida 201ª Brigada de Guardas Britânica, escapara completamente ao serviço de informações alemão. Pela sua posição estratégica, em meio à Linha de Gazala, podia obstruir qualquer avanço germânico em qualquer direção. Pode-se ler no diário de Rommel: "nossos planos de vencer as forças britânicas atrás da Linha de Gazala não foram bem-sucedidos".

Acrescente-se à surpresa da descoberta de posições defensivas desconhecidas, a surpresa tática. Os novos tanques Grant acertavam de longe os blindados alemães, explodindo-os, enquanto pareciam imunes mesmo aos tiros certeiros que os atingiam. A balança tecnológica pendia agora contra a Alemanha, que tinha de efetuar uma imediata adaptação de suas táticas.

Ao anoitecer, a posição das unidades alemãs era extremamente vulnerável. Bir Hakeim resistia aos ataques do 20º Corpo Italiano; a 90ª Divisão Ligeira estava isolada perto de El Adem, sofrendo pesados ataques aéreos; e a 15ª Divisão Panzer se encolhia nas vizinhanças de Knightsbridge, imobilizada por falta de combustível. Somente a 21ª Divisão Panzer se encontrava em condições de prosseguir rumo à costa, no dia seguinte, 28 de maio. Rommel assinalou em seu diário:

> Não negarei que estivesse seriamente preocupado naquela noite. Os numerosos tanques que perdemos no início da batalha não eram mesmo para tranquilizar. A 90ª Divisão Ligeira, sob o comando do general Kleeman, separara-se do Afrikakorps e se encontrava em situação perigosa. Grupos motorizados britânicos estavam entrando pela brecha aberta e perseguindo as colunas de transporte que haviam perdido contato com o corpo principal. E dessas colunas dependia a vida do meu exército. Contudo, a despeito dos problemas que tinha pela frente, naquela noite estava cheio de esperanças sobre o que a batalha nos poderia trazer.

Nesse mesmo dia, a 90ª Ligeira cedeu ao ataque da 4ª Brigada Blindada e recuou para o sul a fim de escapar à destruição, pondo fim ao avanço alemão. Na manhã seguinte, a força móvel de Rommel havia fracassado em atingir seus objetivos e estava exposta a sérios perigos. Passava-se à segunda fase da ofensiva.

A linha de suprimentos alemã estava ameaçada pela existência de um extenso campo de minas ao redor de Bir Hakeim, que se estendia do sul em direção ao centro da linha defensiva britânica. Teve início a abertura de um atalho através dele, no sentido oeste-leste, ignorando completamente a presença da 150ª Brigada Britânica, que, guarnecendo um *box* situado perto de Sidi Muftah, bloqueava o centro da Linha de Gazala. Desse modo, o fluxo de suprimentos alemães não poderia ser restabelecido antes que se limpasse um caminho através do campo minado, e se eliminasse a ainda ignorada 150ª Brigada.

À medida que a força blindada britânica se aproximava, as baixas e as dificuldades alemãs aumentavam. O próprio general Cruewell, comandante do DAK, foi aprisionado e várias formações de infantaria alemãs aniquiladas. Os suprimentos, notadamente água e combustível, escasseavam, e as necessidades diárias só eram supridas quando Rommel pessoalmente dirigia as colunas de transporte. Durante o dia, as forças alemãs que recuavam do leste para a Linha de Gazala concentraram-se ao norte e a leste do *box* da 150ª Brigada, num perímetro defensivo restrito, conhecido como o Caldeirão. Do oeste, as divisões italianas emergencialmente comandadas pelo marechal Kesselring, que chegara numa visita rotineira de inspeção, iniciaram o trabalho de abertura de faixas no campo de minas para dar vazão ao fluxo de suprimentos.

A corrida contra o tempo começara. O **Panzerarmee** Afrika tinha que abrir caminho pelo campo minado e deter, simultaneamente, a força blindada britânica. Ou seja, a prioridade absoluta passou a ser a sobrevivência. Rommel conclui que

como os imprevistos da batalha tornaram imperioso abrir uma rota de abastecimento segura para nossa força atacante, decidi mover unidades da 90ª Divisão Ligeira e um elemento do Afrikakorps contra os campos minados a leste. Para dar cobertura à ação, o restante da força deveria passar para a defensiva, numa frente reduzida.

Inexplicavelmente, apesar de ter três brigadas blindadas concentradas nas vizinhanças do Caldeirão, os britânicos deixaram escapar a oportunidade de esmagar as forças alemãs em 29, em 30, e mesmo em 31 de maio. Seus comandantes estavam esperando o esgotamento dos suprimentos alemães, quando poderiam obter uma vitória incruenta. Infelizmente para eles, tudo o que fizeram foi pensar durante uma semana, dando a Rommel tempo para se recobrar.

Aproveitando-se da inércia britânica, Rommel fortaleceu sua posição defensiva no Caldeirão, com fortes anteparos antitanque e martelou fortemente o *box* da 150ª Brigada, com artilharia e bombardeiros de mergulho, e finalmente tomou-o em um ataque total na madrugada de 1º de junho, restabelecendo uma rota segura para seus tão necessários suprimentos.

As operações de salvamento tentadas pelo 8º Exército foram fracas e desordenadas, redundando num fracasso total. As ações britânicas foram lentas e pesadas na luta pelo Caldeirão. Paravam a cada golpe que recebiam, a pretexto de reconsiderar planos. Assim, ocorreu uma descontinuidade do fluxo que cria uma ação móvel, ou em outras palavras, à perda de *momentum*. O DAK, ao contrário, praticamente nunca parava, movendo-se sempre para pôr o inimigo na incerteza do local de seu esforço principal.

Na madrugada de 5 de junho, materializou-se afinal a contraofensiva britânica. O general Ritchie emitiu a seguinte instrução a seus comandados: "É absolutamente essencial que arranquemos a iniciativa das mãos do inimigo, e isto tem que ser feito o mais breve possível. Nas circunstâncias, decidi que, para esmagá-lo no Caldeirão, teremos que fazer um movimento de pinças, com um braço vindo do norte com a 69ª Brigada de Infantaria apoiada por tanques, e outro do leste, a ser realizado pela 5ª Divisão Indiana apoiada pela 22ª Brigada Blindada e pelo 4º Batalhão de Tanques, para exploração, que será o ataque principal. Espero enfiar uma cunha nas defesas do inimigo, protegido pela escuridão da noite, e tomar o terreno nas vizinhanças de Got El Screab, e isto me permitirá explorar com blindados, através do corredor, até a retaguarda do inimigo".

Após um cerrado bombardeio, que caiu em grande parte sobre o deserto vazio, a infantaria indiana, em um assalto noturno, carregou tudo a sua frente. A Divisão Ariete cedeu, e a força blindada britânica correu em sua perseguição, não encontrando a principal linha defensiva alemã. Dirigindo-se então, para a direita e para o centro do Caldeirão, foi de encontro a uma barreira de canhões antitanque apoiada pela artilharia do DAK. Foi uma emboscada perfeita. Os tanques britânicos pararam, os artilheiros alemães escolheram seus alvos e passaram a eliminar os tanques inimigos de modo sistemático. Um tanto surpresos pela maneira como os britânicos atacavam, às vezes quase sem apoio de artilharia, outras vezes não fazendo coincidir o movimento dos tanques com o da infantaria, os homens do DAK escolhiam seus alvos quase livremente, e no início da tarde mantinham suas posições por toda extensão do Caldeirão. Uma penetração fortuita da 32ª Brigada Blindada, ao norte, foi totalmente repelida, causando a perda de 60 tanques.

Isso deu a Rommel a oportunidade desejada: passar ao contra-ataque. A 15ª Panzer avançou e fez recuar todas as **unidades britânicas** que se preparavam para atacar o Caldeirão a partir do leste; a seguir, a 21ª passou ao ataque, saindo do confinamento do Caldeirão em um movimento ofensivo em direção a leste. Em poucas horas de batalha, as unidades que não haviam sido destruídas foram isoladas, tendo seus Q-Gs dispersados. As colunas blindadas alemãs efetuaram uma verdadeira devastação, a partir de Bir Hakeim em direção a Knightsbridge. Ao entardecer, os tanques que vinham do sul atacaram a 22ª Brigada Blindada, em conjunto com a 21ª Panzer vinda do oeste, provocando sua retirada após ter 60 tanques destruídos, enquanto a Divisão Ariete retinha a 10ª **Brigada Indiana**. Rommel havia dado uma lição magistral da tática blindada defensiva. A defesa Panzer não se limitava a repelir ataques de modo estático, ao contrário, era parte ativa e essencial de uma tática de destruição que procurava atrair os blindados britânicos para posições antitanque preparadas. Escreveu:

> Previ que as brigadas mecanizadas e blindadas britânicas continuariam a dar cabeçadas contra a nossa bem organizada frente defensiva e a consumir, no processo, seus efetivos. A defesa deveria ser conduzida com o máximo de elasticidade e mobilidade.

O raciocínio tático de Rommel desenvolvido nesse estágio despertou a admiração de Liddell Hart, teórico militar que analisou o desenrolar da batalha:

> Dispondo da trégua necessária para reorganizar-se, ele provou ser capaz de aproveitar as vantagens táticas da defensiva, quando habilmente utilizada, para reduzir a superioridade numérica britânica. Foi por meio da sua hábil defesa "de armadilha" que nos dias seguintes ele abriu caminho para mais outro "ataque defensivo" mais decisivo. Rommel era por natureza um soldado dinâmico, inclinado a desprezar a defesa, mas quando as circunstâncias o obrigavam a adotá-la, ele se mostrava possuidor de uma intuição e de uma técnica verdadeiramente notáveis, e nisto residia a base de suas vitórias.

A previsão de Rommel cumprira-se, e atingia-se o ponto culminante da batalha. Com o perigo de aniquilação de seu exército afastado, o *box* de Bir Hakeim, o pilar da Linha de Gazala, precisava ser tomado para que se restabelecessem as condições de seu objetivo original de operar livremente na retaguarda da linha britânica.

O *box* foi submetido a severo bombardeio aéreo e ao ataque cerrado do 20º Corpo Italiano e da infantaria da 15ª Divisão Panzer. Um contra-ataque para auxiliá-lo, efetuada pela 7ª Divisão Blindada Britânica, foi prontamente repelida e no anoitecer de 11 de junho ele foi finalmente tomado. Os franceses haviam defendido Bir Hakeim até o último cartucho.

Iniciava-se a terceira fase da ofensiva, que duraria de 11 a 13 de junho e provocaria o colapso da Linha de Gazala.

Sabendo que os comandantes britânicos estavam em desacordo uns com os outros, pelo hábito que tinham de discutir ordens abertamente pelo rádio, Rommel abriu suas forças em leque. O flanco direito formado pela 90ª Ligeira dirigiu-se para o sul de El Adem. A 15ª Panzer, no centro, rumou também diretamente para essa localidade. O flanco esquerdo composto pela 21ª Panzer, reforçada pelo 20° Corpo Italiano, voltava ao Caldeirão. Se fossem bem articulados, os britânicos poderiam ter destruído a ponta direita do leque, mediante o assalto concentrado das duas brigadas blindadas que se encontravam em Knightsbridge, ou ao menos ter castigado as colunas que avançavam pelo deserto aberto com bombardeios aéreos. Não fizeram nem uma coisa nem outra.

Rommel avançou cautelosamente durante a maior parte dos dias 11 e 12, temendo cair em uma emboscada ou ser vítima de um contra-ataque britânico que não se materializou. Por fim, certo de que não seria surpreendido por qualquer armadilha, movimentou-se rapidamente, ordenando que a 21ª Panzer saísse do Caldeirão para atacar os britânicos pela retaguarda, enquanto a 15ª prendia sua atenção. Presas no vazio da incerteza e sem ordens peremptórias para atacar, as 22ª e 4ª Brigadas Blindadas ficaram paradas, inteiramente à mercê do ataque alemão. Quando a 22ª finalmente atendeu uma ordem para se deslocar ao sul, numa tentativa de socorrer a ameaçada 4ª Blindada, foi envolvida por um dilúvio de fogo de artilharia que quase a destruiu por completo.

As perdas britânicas em tanques estavam assumindo dimensões catastróficas. Nada menos que 138 veículos destruídos até o meio-dia do dia 12. O general Ritchie, comandante do 8° Exército, deveria estar se perguntando o que acontecia com seus tanques. A resposta: Falta de rapidez na tomada de decisão por parte do comando; ordens pouco precisas e, na grande maioria, impossíveis de cumprir dada a evolução dos acontecimentos; e muita morosidade em reagir a surpresas táticas. Aliadas a existência de material de guerra inferior em alcance e precisão de tiro, cobravam um preço muito alto a um inimigo valente. Os generais britânicos pareciam ter dificuldades em apreender a lição que Rommel sabia de cor:

> a velocidade da manobra em operações e a reação rápida do comando são decisivas. Todos têm de ser capazes de realizar as operações com a máxima rapidez e completa coordenação. É necessário que se faça um esforço contínuo para obter o desempenho máximo, pois o mais rápido vence a batalha.

Na tarde de 12 de junho, o general Auchinleck, comandante em chefe do Oriente Médio, chegou ao posto de comando do 8° Exército, em Gambut, para se inteirar da situação com seu comandante Ritchie. O tom do conselho de guerra que se seguiu soava estranhamente otimista:

Rommel faz uma rápida refeição a bordo de seu veículo de comando, durante a batalha da Linha de Gazala. África, junho de 1942.

Rommel não é um super-homem, e suas unidades também sofreram perdas severas. Nós ainda somos superiores em número aos alemães, e se continuarmos numa batalha de usura ele acabará por se exaurir. E ainda que Rommel alcance a estrada costeira com suas forças limitadas, elas deverão ser repelidas.

Portanto, a conclusão foi a de que os britânicos deveriam continuar a batalha até que Rommel se esgotasse. Antes de regressar ao Cairo, Auchinleck enviou um telegrama a Winston Churchill em Londres, com os seguintes dizeres: "A atmosfera aqui é boa. A situação é julgada com serenidade e determinação. O moral da tropa é bom. Aparentemente, as intenções do inimigo não se realizaram conforme seus planos".

Enquanto isto, o DAK dava o golpe de morte nos blindados britânicos. Em meio a uma forte tempestade de areia, uma batalha extremamente confusa desenvolveu-se entre a saliência de Rigel e o *box* de Knightsbridge. Ali, os britânicos se dispersavam em desespero e os alemães se agrupavam como uma unidade coesa, determinada a conquistar esse território vital. O *box* teve que ser evacuado na noite de 13 de junho, com sua guarnição que conservava grande parte de sua força recuando em direção à costa. Subentendia-se que sem a proteção das forças blindadas, as formações de infantaria não podiam mais manter-se nos *boxes* ainda intactos da Linha de Gazala, sob pena de serem isoladas e capturadas. Os britânicos não tinham mais que 70 tanques operacionais. A maioria dos blindados que perderam e uma enorme quantidade de outros materiais bélicos caíram em mãos alemãs. A espinha dorsal do 8º Exército fora quebrada.

Em 14 de junho, Ritchie, consciente de que a destruição virtual de seus blindados expunha todo o 8º Exército ao desastre, ordenou que as forças de infantaria que guarneciam o norte da Linha de Gazala, próximo à costa, especialmente a 1ª Divisão Sul-Africana e a 50ª Divisão Inglesa, abandonassem suas posições e recuassem para o porto de Tobruk. A operação ficou ironicamente conhecida como o Galope de Gazala, dada a rapidez com que teve de ser executada.

CAI TOBRUK

Tem início a fase final da ofensiva de Rommel. Objetivo: capturar a massa da infantaria britânica, que, sem uma força blindada de cobertura, retrai-se para a costa, buscando escapar à destruição.

As divisões alemãs estavam, porém, no limite de suas forças, nem Rommel podia convencê-las a agir energicamente. Mesmo assim, a 15ª Panzer logrou, em 15 de junho, alcançar a via Balbia, junto ao mar. Montou uma posição de bloqueio que barrava a estrada, com um batalhão de infantaria reforçado por seis tanques leves. Os esforços concentrados da fraca força de bloqueio, da artilharia e dos bombardeiros de mergulho, não puderam impedir a fuga da 1ª Divisão Sul-Africana. Tendo abandonado todo seu material pesado, a divisão, assim como a 50ª Inglesa, pôde alcançar a relativa segurança do porto de Tobruk. O general von Mellenthin registra, sem rancor: "O fato é que o DAK chegou ao limite de suas forças; era impossível estimular os homens".

A destruição total dos britânicos não se realizou, e uma vez mais, eles se agrupavam nos arredores de Tobruk. Mas o componente essencial da guerra no deserto, a força blindada, quase desapareceu da ordem de batalha britânica, e as fracas unidades que restavam careciam de coesão. Agora, tratava-se de ver se a enfraquecida força de ataque alemã era capaz de, simultaneamente, empurrar o inimigo para a fronteira egípcia e capturar Tobruk. De qualquer modo, não se podia perder tempo, pois cada hora desperdiçada dava aos britânicos mais oportunidades de se recuperar.

A grande ambição de Rommel, em 15 de junho, era a captura de Tobruk, o arremate final de sua ofensiva de primavera. Os britânicos hesitavam em defendê-la.

As defesas de Tobruk estavam enfraquecidas em relação ao cerco do ano anterior. Sua guarnição compunha-se da 1ª Divisão Sul-Africana, que abandonara todo seu material pesado na retirada da Linha de Gazala, reforçada por regimentos de infantaria indianos e ingleses, com pouquíssima artilharia e com dois fracos batalhões de tanques. Grande parte do seu campo minado tinha sido removido e havia a convicção nos estados-maiores de que nunca mais ela deveria ser mantida isoladamente. No entanto, Churchill determinou que o porto fosse mantido como em 1941. Em seguida, a uma troca de telegramas entre o Cairo, Londres e Ritchie, o primeiro-ministro satisfez-se em saber que Tobruk seria mantida "temporariamente", com a 1ª Divisão Sul-Africana como principal elemento da guarnição, tendo enviado a 15 de junho o peremptório telegrama: "Deixe em Tobruk as tropas que forem necessárias para conservar a praça".

A decisão tomada por Rommel foi rápida e engenhosa. No dia 16, recebeu como reforço a divisão blindada italiana Littorio, o que lhe permitia preencher em parte os claros em forças causados por suas pesadas baixas. Para confundir o inimigo, teve a ideia de ultrapassar Tobruk em direção à fronteira egípcia, para em seguida efetuar uma súbita meia volta e investir contra o baluarte. Aproveitou-se também do absoluto domínio dos ares que possuía. Pois, enquanto os aparelhos britânicos eram transferidos para aeródromos no Egito, a Luftwaffe atingia o máximo de seus efetivos, em preparação para a Operação Hércules. Também o moral era elevado, dado que o DAK e os italianos lutavam como um exército invencível diante do qual os britânicos recuavam em confusão para o Egito.

Embora algumas fortes posições defensivas no deserto, apoiadas por blindados, ainda impedissem os alemães de se aproximarem do alvo de sua arremetida, Rommel não hesitou. Comandou uma varredura em torno do perímetro da cidade que empurrou tudo a sua frente, o que causou mais perdas de blindados britânicos. O DAK completou o cerco a Tobruk no dia 18, e a 90ª Ligeira ocupou Bardia no dia seguinte, colocando uma larga faixa de deserto entre as colunas britânicas mais avançadas e a cidade isolada. A ordem para atacar foi dada quando o cerco se fechou: os britânicos não tiveram nenhum aviso.

A rapidez era a essência do plano. Não haveria movimento para a área de reunião antes da tarde do dia do ataque, mesmo que o reconhecimento e os preparativos da artilharia ficassem reduzidos em uma operação dessa envergadura. Em vez de se utilizar de seus elementos blindados para dar suporte ao ataque, claro sinal de que já planejava novas operações para leste, Rommel insistiu em abrir o assalto ao perímetro com infantaria e engenharia de combate, apoiadas por intenso bombardeio terrestre e aéreo.

O marechal Kesselring, esperando que a queda de Tobruk encerrasse a ofensiva de Rommel e desse início a sua campanha contra Malta, enviou-lhe ajuda irrestrita. Todos os bombardeiros que ele pôde reunir no norte de África, cerca de duzentos, mais alguns aparelhos vindos de Creta, foram despachados para o assalto. Chegaram a ser feitas quase seiscentas investidas num só dia, a maioria delas visando ao setor sudeste do perímetro. Ali, todo o peso do DAK seria desfechado em profundidade e numa frente estreita, contra apenas um batalhão de infantaria indiano, enquanto o 20º Corpo Italiano, reforçado pela recém-chegada Divisão Blindada Littorio, ampliaria a frente de assalto, atacando outro batalhão britânico situado à esquerda do eixo de ataque principal. Defesas lineares dificilmente poderiam resistir a tamanha pressão.

Nenhuma operação de guerra sai totalmente de acordo com o planejado, mas a manutenção do impulso dentro de uma estrutura de tempo determinada é muito encorajadora, e o DAK experimentou isso desde o início do ataque. Desdobrando-se desimpedida durante a noite, a infantaria avançou lentamente

Deutsches Bundesarchiv

Rommel e o marechal de campo Kesselring, após a queda de Tobruk.
África, junho de 1942.

antes que os bombardeiros atacassem as posições britânicas próximo do amanhecer. Os Stukas sobrevoaram o local e mergulharam sobre os defensores, na luminosidade do alvorecer, efetuando um selvagem e espetacular ataque, ao qual se uniram as baterias alemãs e italianas de artilharia, em uma barragem de fogo maciça e bem coordenada. Menos de duas horas depois, os engenheiros começaram a encher a vala antitanque que cercava o perímetro defensivo, enquanto a infantaria protegida por cortinas de fumaça se infiltrava, progredindo de trincheira em trincheira e limpando o caminho.

Às 8h30, os primeiros tanques da 15ª Panzer cruzaram a vala, e encontraram respostas britânicas descontroladas e débil fogo de contrabateria. Bastante encorajado, o avanço engrossou, parando apenas momentaneamente para responder ao fogo de baterias isoladas ou a fracas incursões de esquadrões de tanques inimigos. Por volta das 14h, o DAK já dominava a serra de Pilastrino, de onde era possível bombardear o porto. Como a última força blindada britânica fora destruída, a guarnição estática encontrava-se à mercê de um inimigo eminentemente móvel. Era impossível fazer prevalecer a decisão de defender a praça forte a qualquer preço. Às 21h de 21 de junho, Rommel enviou um comunicado ao Panzerarmee: "A fortaleza de Tobruk capitulou".

Praticamente não escapou nenhum defensor, uma vez que o colapso fora tão rápido que não houve tempo para planejar a fuga. As últimas tropas britânicas depuseram as armas na manhã de 22 de junho, embora a maioria o tivesse feito na noite anterior.

O tom triunfal da ordem do dia de Rommel dá uma descrição de seu feito:

> Soldados! A grande batalha foi coroada de êxito: Tobruk foi conquistada. Fizemos ao todo mais de 45.000 prisioneiros e destruímos ou capturamos mais de 1.000 veículos blindados e quase 400 canhões. Durante a longa e dura luta das últimas quatro semanas, a coragem e a incomparável tenacidade por vós postas em prática fizeram o inimigo vergar. Ao vosso espírito de luta deveu-se a queda do exército inimigo que se preparava para a ofensiva. Meus cumprimentos especiais aos oficiais e soldados por este soberbo feito. Soldados do Exército Panzer África! Agora, para a completa destruição do inimigo. Não descansaremos até que tenhamos destruído os últimos remanescentes do 8º Exército Britânico. Recorrerei ainda uma vez a vós, nos próximos dias, para outro grande esforço que nos levará ao objetivo final.

Hitler sabia perfeitamente a quem cabiam as glórias da jornada, e promoveu Rommel no dia seguinte a marechal de campo.

A grande indagação era se Rommel encontrava-se pronto para atacar destruindo definitivamente o maltratado 8° Exército Britânico. Além das inumeráveis toneladas de equipamentos de toda sorte que a captura de Tobruk proporcionara aos alemães, encontravam-se consideráveis estoques de água e, sobretudo, veículos e combustível que haviam escapado da destruição. Os elementos para o passo seguinte estavam à disposição de Rommel, pois antes mesmo de soarem os últimos tiros em Tobruk, ele já planejava nova ofensiva.

NOTAS

[1] Em dezembro de 1941, em virtude do ataque aeronaval japonês à base americana de Pearl Harbor, os Estados Unidos da América entram na guerra contra o Eixo. Operando com sua formidável capacidade de produção industrial, logo se converteram no "arsenal da democracia".

[2] Os franceses livres eram seguidores do general Charles De Gaulle, que fugira para Londres à época do armistício francês. Liderava um governo de resistência reconhecido pelo governo britânico, denominado Comitê Nacional Francês, e que pretendia ser "a verdadeira França". Na primavera de 1942, controlava alguns territórios coloniais franceses e contava com uma força de cerca de 20 mil homens, que lutavam contra o Eixo.

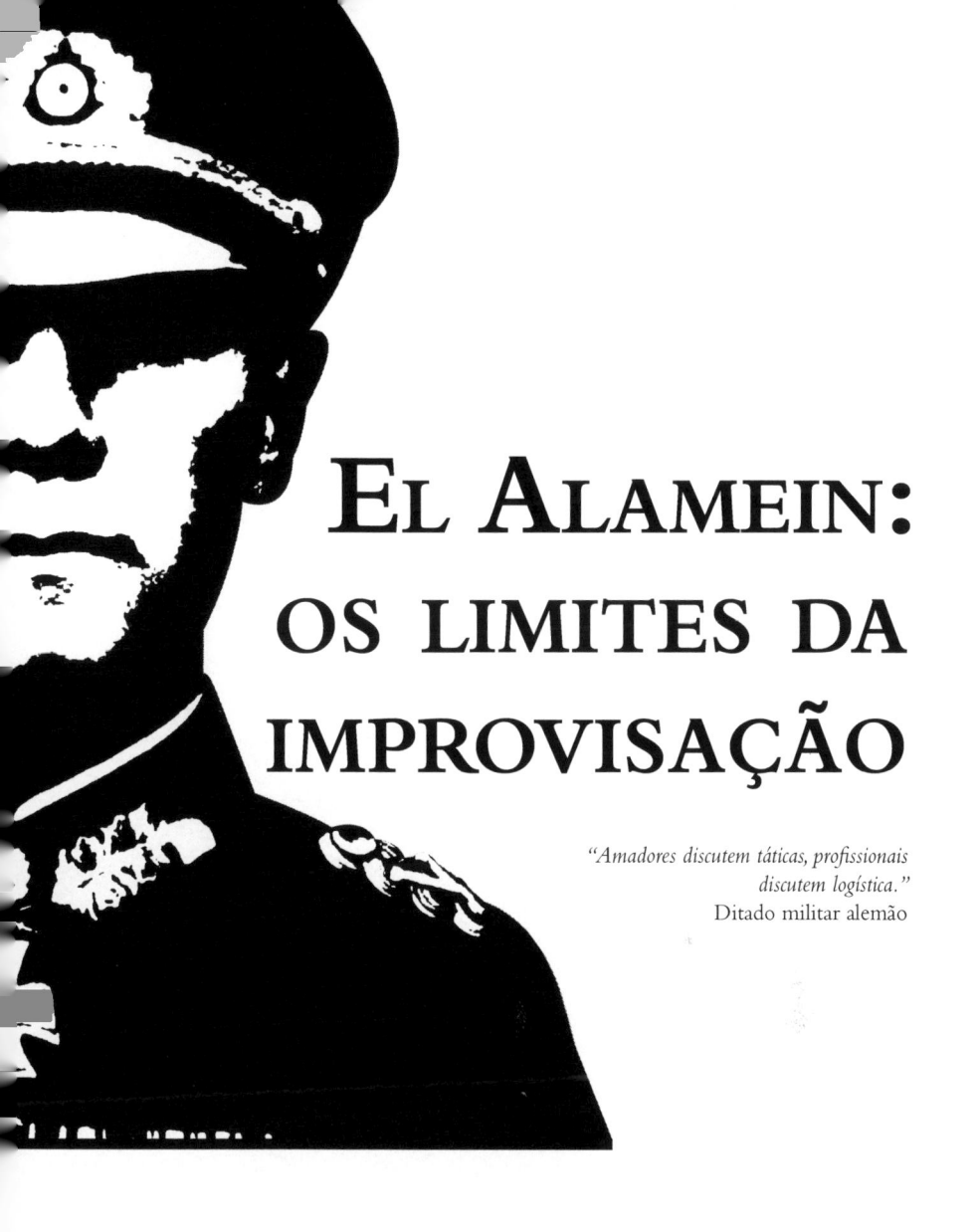

EL ALAMEIN: OS LIMITES DA IMPROVISAÇÃO

"Amadores discutem táticas, profissionais discutem logística."
Ditado militar alemão

Rommel encontrava-se no auge da sua carreira, era um dos mais jovens mare-chais de campo da Wehrmacht. Suas vitórias conquistadas sobre um inimigo numericamente superior em homens e material impressionavam. Suas frases como "vitórias contra forças superiores", "apesar das grandes dificuldades, a tarefa seria concluída" e "o que importa é a vontade de vencer", encontravam eco entre os líderes nacional-socialistas. A máquina de propaganda do regime trabalhava para torná-lo o mais popular general da Alemanha. Os *boletins espe-*

ciais eram publicados rapidamente e em grande número, trazendo as manchetes "A magnífica vitória de Rommel" e "Golpe de Rommel deixa britânicos sem fôlego". Seu triunfo estava sendo usado para que o povo alemão mantivesse a confiança na vitória que havia sido perdida nos campos da Frente Oriental. No inverno de 1941-1942, o avanço no calor do deserto já fora usado para desviar a atenção dos desastres gelados a leste, embora o norte da África fosse um teatro secundário se comparado ao *front* oriental.

O oportunismo pode ser uma virtude tática no calor da luta, mas o movimento estratégico é por natureza tarefa que exige previsão e planejamento cuidadosos. São duas coisas antagônicas. Durante toda Segunda Guerra Mundial, a estratégia do Eixo baseou-se fundamentalmente no oportunismo distorcido. Não houve um planejamento estratégico global que contemplasse os vários *fronts* e, sobretudo, as implicações que os acontecimentos em um deles poderiam ocasionar aos demais. O culpado por esse fato foi Adolf Hitler. Ele tendia a desprezar as estimativas e as projeções estratégicas elaboradas pelo OKW, insistindo sempre em se basear na sua própria intuição para a tomada de decisões. Por outro lado, os membros do Alto-Comando raramente ousavam discordar do ditador e lutar para impor seus próprios pontos de vista. Dessa forma, a estratégia alemã guiou-se pelo oportunismo de explorar uma dada situação favorável, em vez de ver-se pautada por um planejamento meticuloso. O historiador B. Alexander apresenta um estudo sobre as errôneas decisões estratégicas de Hitler, que culminaram por levar a Alemanha à derrota.

Em 25 de junho de 1942, um grande exército alemão preparava-se para um avanço de 1.100 km rumo aos campos petrolíferos do Cáucaso, tendo que enfrentar um terreno montanhoso e difícil, além da massa dos exércitos soviéticos, para atingir seus objetivos. Na mesma ocasião, o Panzerarmee, com apenas 60 tanques e 4 mil homens de infantaria alemães, apoiados por 44 tanques e 6.500 infantes italianos, encontrava-se a apenas 800 km dos escoadouros de petróleo iraquianos em Haifa. Rommel e o DAK apresentaram naturalmente ao Alto-Comando do Eixo a possibilidade de inverter a estratégia adotada, em que pese o perigo de se despachar uma força blindada para a extremidade de uma linha de suprimentos não totalmente segura. Mas o principal esforço do Eixo estava comprometido com seu *front* leste, a ponto de impedir a mais leve alteração dos planos operacionais. Hitler encontrava-se obcecado em derrotar os russos a qualquer preço, em busca de **Lebensraum**, e se negava a considerar uma estratégia de abordagem indireta, que lhe daria o mesmo resultado, o acesso aos poços petrolíferos, a um custo pequeno e tendo que percorrer uma distância menor.

No entanto, após a captura de Tobruk, o general viu uma oportunidade única e decisiva para alterar o curso da guerra, desde que recebesse ajuda substantiva, verdadeiramente capaz de lhe permitir consolidar a vitória.

Para explorar plenamente as conquistas realizadas e garantir a posse do norte da África para os ítalo-germânicos ele necessitaria de um fluxo contínuo de homens e de material. As frequentes viagens que fazia a Berlim eram justamente para discutir esse ponto, mas à medida que tais viagens foram se sucedendo, Rommel foi se convencendo de que só aqueles que estavam diretamente envolvidos na luta no deserto reconheciam a importância desse teatro de operações para a estratégia alemã. A obsessão de Hitler com a Frente Russa e o receio do estado-maior em desenvolver operações ofensivas em um teatro considerado secundário e sem importância estratégica eram patentes. Entretanto, a preocupação de Rommel com a África do norte não era simplesmente fruto do desejo de qualquer comandante militar em priorizar a frente de operações que comandava.

A conquista e manutenção de uma permanente fonte de abastecimento de combustível era da maior importância para os planos alemães, que só controlavam os campos petrolíferos da Romênia, de média capacidade produtiva, e complementavam suas necessidades com a produção de combustível sintético. Na primavera de 1942, a estratégia alemã contemplava de início, um avanço para os campos petrolíferos do Cáucaso, e depois, um possível movimento rumo ao sul em direção às vastas reservas petrolíferas do Oriente Médio. A escassez de combustível fora um grande problema para Rommel durante a campanha no deserto. Concordava com o Alto-Comando que era essencial para a Alemanha conquistar suas próprias fontes fornecedoras de petróleo, mas ponderava que esse objetivo poderia ser mais facilmente alcançado pelo DAK, que se encontrava a um passo dos grandes lençóis petrolíferos do Oriente Médio, do que através dos incertos caminhos da Rússia.

Quando Rommel foi promovido a marechal de campo, em 22 de junho, ignorou a cadeia hierárquica de comando e solicitou permissão para prosseguir o ataque rumo ao canal de Suez diretamente a Hitler.

Na noite da véspera, o marechal Kesselring havia chegado ao Q-G do Panzerarmee, trazendo felicitações e propostas para desenvolver a operação contra a ilha de Malta, conforme o planejado. Foi recebido por um Rommel eufórico, que insistia em não desperdiçar os frutos da vitória, e que não haveria tempo a perder para capturar Malta, se uma invasão de Egito chegasse ao canal de Suez antes que os britânicos se recuperassem. Friamente, Kesselring argumentou que, sem forte cobertura aérea para garantir a supremacia sobre o campo de batalha, um avanço como esse falharia. E a maioria dos aparelhos fora destinada a Malta, que, aproveitando-se do apoio que a Luftwaffe vinha prestando ao DAK em batalhas terrestres, recomeçara a agir ofensivamente contra as rotas marítimas de abastecimento. As discussões tornaram-se demasiado acaloradas e os dois comandantes não chegaram a um acordo.

Rommel enviou um oficial de ligação pessoal para apresentar seus pontos de vista a Hitler, e enviou um comunicado a Mussolini, em que dizia:

> A história entrou em uma nova fase, o 8º Exército está praticamente destroçado, e se impõe uma perseguição ininterrupta a fim de se atingir a vitória final. A deusa que rege a sorte nas batalhas apenas uma vez se aproxima dos comandantes. Aquele que não a segurar em tal momento muitas vezes não consegue mais alcançá-la.

Sob o impacto desse telegrama o Alto-Comando Italiano mudou de atitude e Hitler cedeu relutantemente aos argumentos de Rommel. Esse foi um dos pontos críticos da guerra. A opinião de Hitler e sua estratégia indireta eram corretas. A invasão de Malta, após a tomada de Tobruk, colocaria os britânicos em uma posição insustentável no Egito, com a ilha de Creta servindo de base para os ataques aéreos alemães ao delta do Nilo. Mas o avanço direto de Tobruk pela costa até Alexandria parecia tão fácil a Rommel que Hitler cedeu, pela última vez, à opinião de um general.

Pelo erro estratégico de não ter tomado a ilha de Malta, as potências do Eixo pagariam um preço por demais elevado.

No dia 26 de junho, houve uma reunião em Derna, agrupando Bastico, Cavallero, Rommel, Kesselring e outros comandantes superiores, na qual se decidiu que o exército blindado deveria prosseguir em seu avanço através de Fuca e Mersa Matruth até alcançar a estreita faixa que se estende do Mediterrâneo até a depressão de Qattara, em El Alamein. No dia seguinte, o marechal Cavallero emitiu uma nova instrução marcando o Cairo e o canal de Suez como objetivos finais da campanha, e adiando a conquista de Malta.

No entanto, o marechal Kesselring, apoiado pelo general Bastico, achava que seria mais seguro a ofensiva de Rommel deter-se na fronteira egípcia. Argumentava que a tomada de Tobruk só fora possível porque contara com todos os aviões em condições de entrar em ação, baseados não só na África e na Sicília, como também na Grécia e na ilha de Creta. Parecia-lhe duvidosa a perspectiva de obter novamente uma concentração aérea de tal envergadura. Para enfrentar os 600 aparelhos que os britânicos podiam mobilizar na região do delta, o máximo que se podia pôr em combate era, de acordo com todas as previsões, quarenta caças alemães e igual número de aviões italianos.

Sem aguardar novas ordens, Rommel retoma seu avanço. Em 24 de junho ocupa Sidi Barrani e no dia seguinte chega à Mersa Matruh, localidade onde os britânicos haviam feito alto a fim de reagruparem-se. Nessa posição fortificada, protegida por cinturões de minas, as forças britânicas revigoradas por tropas frescas, especialmente pela aguerrida 2ª Divisão Neozelandesa, recolhia e reagrupava as tropas derrotadas na Linha de Gazala. Auchinleck, que em 25 de junho assumiu pessoalmente o comando do 8° Exército, pretendia travar apenas uma batalha de retardamento, enquanto se ultimavam as fortificações erigidas em El Alamein. Portanto, as unidades britânicas deveriam evitar o isolamento e retirar-se caso a batalha se desenrolasse desfavoravelmente.

O potencial de resistência de Mersa Matruh não residia tanto em seus campos minados, nem nos reforços vindos da zona do canal, mas sim nas esquadrilhas da Força Aérea do Deserto Ocidental, estacionadas agora perto da frente. Essas unidades podiam desdobrar-se livremente, pois os alemães e italianos tinham de construir suas instalações terrestres nos arredores de Gambut. A partir desta data, os britânicos e, mais tarde, os norte-americanos, puderam manter uma esmagadora superioridade aérea sobre os campos de batalha.

Atacando em 26 de junho, Rommel penetrou facilmente nas posições britânicas de Mersa Matruh. O 8° Exército encontrava-se meio disperso, mais fraco no centro do que nos flancos e, contrariando o método indireto de ataque, Rommel surpreendentemente adotou a aproximação direta. A 90ª Ligeira atravessou o campo minado britânico e atacou o centro da posição defensiva, enquanto o DAK destruía as forças blindadas britânicas concentradas ao sul do baluarte. No dia seguinte, a divisão desviou-se para o norte e estabeleceu uma posição de bloqueio na estrada costeira. O grosso da infantaria britânica, a 10ª Divisão Indiana, 2 regimentos da 3ª, a 50ª Divisão Britânica e os sul-africanos encontravam-se isolados em Mersa Matruh.

Mas as forças ítalo-germânicas estavam muito enfraquecidas para manter uma operação eficaz de bloqueio. Enquanto o DAK enfrentava a tenaz resistência dos neozelandeses e do restante das maltratadas brigadas blindadas britânicas, a infantaria, obedecendo à ordem de retirada emanada de Auchinleck, esmagava a fraca barreira na estrada costeira e procurava alcançar a posição de El Alamein, auxiliada por constantes e ferozes bombardeios aéreos britânicos.

No dia 29, cessava a resistência. Embora os despojos de material fossem imensos, apenas 8 mil homens foram feitos prisioneiros. A grande maioria da guarnição da praça pudera escapar à armadilha, e retirar-se para leste. Rommel escreveu em seu diário: "Mersa Matruh foi certamente uma brilhante vitória alemã e nos deu grandes esperanças de conquistar o Egito".

O exército de Rommel, já a 320 km de Tobruk, começava a dar sinais concretos de exaustão, mas foi novamente estimulado pela energia, aparentemente inesgotável, de seu comandante. Conhecia como poucos o segredo de levantar o moral de uma tropa abatida e sabia o valor pedagógico do exemplo de uma liderança carismática. Escreveu:

> É pura tolice dizer que a manutenção do moral dos homens é dever apenas do comandante do batalhão. Quanto mais alto o posto, maior a repercussão do exemplo. Em momentos de pânico, cansaço ou desorganização, ou quando algo fora do comum tem de ser exigido deles, o exemplo pessoal do comandante faz maravilhas, especialmente se ele se fez respeitar pela inteligência e pelo poder de comando.

A PRIMEIRA BATALHA DE EL ALAMEIN

Um observador imparcial que tivesse uma visão aérea da faixa de deserto que se estende de Mersa Matruh a El Alamein, no final de junho de 1942, teria dificuldades em precisar quem estava combatendo quem. No ar o combate era claro, pois a Real Força Aérea (RAF) britânica vinha do leste, bombardeava as tropas do Eixo e voltava para buscar mais bombas, enquanto as aparições da Luftwaffe eram fracas e esporádicas.

Em terra, porém, o cenário era mais confuso. Quase todas as unidades viajavam em veículos britânicos, com muitos dos soldados envergando uniformes britânicos, independentemente de suas nacionalidades. O observador veria também colunas de canhões, caminhões e soldados britânicos dirigindo-se para El Alamein, correndo compulsivamente para leste, parando aqui e ali apenas para revidar contra um perseguidor que se aproximara demais. Atrás dessas colunas, havia grupamentos de tanques e motocicletas alemães, precedendo uns poucos canhões, para participar de breves escaramuças com a retaguarda, deixando veículos em chamas e mais prisioneiros britânicos, enquanto alguns alemães feridos partiam para oeste em ambulâncias.

Mais atrás vinha outra leva de veículos britânicos transportando homens que haviam escapado, no último instante, da armadilha de Mersa Matruh. Muitos desses soldados traziam no rosto expressões de assombro e perplexidade, uma vez que a maioria sequer havia visto o inimigo, e fugia temerosa das emboscadas que pareciam infestar a estrada costeira.

A seguir, fechando o cortejo, vinha o DAK com algumas tropas italianas, avançando no limiar da fadiga. Poucas das suas máquinas eram de fabricação alemã ou italiana, bem como grande parte de sua artilharia e de seus uniformes eram de origem britânica advindos dos enormes despojos capturados em Tobruk. Mas a maioria de seus tanques era alemã, veteranos de cem batalhas e dúzias de consertos. Rommel comandava no Mamute, apelido do veículo capturado dos britânicos e utilizado por ele na operação. Estava determinado a vencer a corrida com os britânicos em direção a El Alamein. Não conseguiu.

Desordenadamente, os soldados dos dois exércitos apostaram uma corrida de 64 km entre Mersa Matruh e El Alamein, vencida por pequena margem pelos britânicos. O 8º Exército ainda encontrava-se à beira de uma "completa catástrofe", nas palavras de seu comandante: "Ninguém, e muito menos eu, poderia prever se haveria condições de reagrupar o exército a ponto de deter Rommel e salvar o Egito". Alexandria encontrava-se agora apenas a 85 km da frente.

A confusão e o pânico que se estabeleceram no Egito em razão da arremetida aparentemente irresistível de Rommel ameaçaram provocar o caos completo. Estradas e trilhas estavam repletas de soldados em retirada. Suprimentos que não podiam ser transportados eram destruídos. No delta do Nilo, faziam-se preparativos apressados para a defesa entre diques e canais; as esposas e filhos de militares britânicos haviam recebido ordens de evacuação, e sentavam-se em suas malas esperando os trens em estações apinhadas; os auxiliares de transmissões, telefonistas e todo pessoal feminino de secretariado eram levados para o sul; as colunas de fumaça que se erguiam da embaixada britânica e do quartel do comando supremo demonstravam que arquivos e documentos sigilosos eram queimados; refugiados seguiam em grande número para a Palestina; e a esquadra britânica deixou sua base de Alexandria.

Por outro lado, os soldados ítalo-germânicos estavam tontos de cansaço e seu número era baixo. Só com o estímulo de Rommel conseguiam ir em frente.

El Alamein tem duas cadeias de montanhas que se estendem no sentido lesteoeste, formando a serra de Ruweisat, e mais pra o sul e bem pra leste, a serra de Alam Halfa. Ambas eram pontos estratégicos para a conquista da faixa de terreno localizada entre o mar e a depressão de Qattara. Em momento algum das batalhas de El Alamein essa faixa permaneceu sob controle britânico permanente. Auchinleck não dispunha de tropas suficientes, em julho, e mais tarde o flanco esquerdo da defesa foi disposto em direção ao sul, para atrair Rommel a uma armadilha.

O 8º Exército era formado por tropas remanescentes da Batalha da Linha de Gazala, como a 1ª Divisão Sul-Africana e a 50ª Divisão Britânica, e da Batalha de

Mersa Matruh, como as divisões neozelandesas e a 9ª Brigada Indiana, reforçadas por tropas recém-chegadas, como a 18ª Brigada Indiana. O ponto fraco eram seus blindados. Embora a 1ª Divisão Blindada tivesse 150 tanques, só dois esquadrões eram do modelo Grant. A competência, a coesão e o moral dos integrantes da divisão também deixavam a desejar. Mesmo assim, o 8º Exército superava em muito o Panzerarmee, reduzido a 60 tanques alemães e 30 italianos, cerca de 5 mil soldados alemães e um número equivalente de italianos. A batalha representou, em última análise, uma disputa de vontades entre dois generais adversários.

Em 1º de julho, Rommel tentou repetir seu triunfo de Mersa Matruh, com um plano idêntico e incrivelmente audacioso. Resolveu fazer uma penetração pelo centro das forças do 8º Exército e depois contorná-las de ambos os lados, num movimento destinado a envolver-lhe os flancos. O pesado fogo dos grupos de combate britânico impediu-o de concretizar o plano. A 90ª Ligeira enfrentou forte oposição e teve que lutar uma batalha de atrito, a coisa que mais queria evitar, enquanto o DAK esbarrou na posição fortificada de Deir el Shein, e, em lugar de desviar-se, tomou a linha de maior resistência, tentando assaltá-la.

No dia seguinte, Rommel reduziu seu objetivo para um único movimento de envolvimento do perímetro. Esse plano também falhou. A posição de El Alamein revelava-se em toda sua profundidade. A cada movimento para a frente ou para o lado que os alemães tentavam fazer, eram recebidos por uma cortina de fogo de artilharia disparado por um contendor que já não se imobilizava passivamente, como antes, a espera do ataque do inimigo.

Embora estivesse em dificuldades, Rommel fez um esforço supremo para enviar, no dia 3 de julho, o 20º Corpo Italiano para o norte a fim de auxiliar o DAK em sua penetração. Os italianos encontraram, abruptamente, uma barragem de artilharia que os deteve, expondo-os a um contra-ataque aniquilador desfechado pela infantaria neozelandesa com baionetas caladas.

No dia 5, Rommel fez nova tentativa pelo centro, conseguindo algum progresso inicial, mas afinal sendo contido apesar de liderar pessoalmente o ataque. Embora o 8º Exército ainda fosse um instrumento moroso e hesitante, Auchinleck contra-atacou as formações de infantaria italiana. O deslocamento de forças alemãs evitou o desmoronamento, mas a progressão do ataque central foi suspensa. Os soldados alemães, aparentemente capazes de realizar milagres sempre que Rommel os exigisse, conseguiram causar consideráveis baixas nos atacantes, mas segundo o comentário de Liddell Hart: "a situação britânica jamais foi tão desesperadora quanto aparentava, ao passo que por volta de 5 de julho, as forças de Rommel estavam em verdade mais próximas do colapso total do que da vitória final".

Após breve pausa, o DAK atacou novamente em 10 de julho, tentando cruzar as linhas britânicas pelo leste e avançar até o delta. Foi o último movimento ofensivo do Eixo na batalha. Na véspera, Auchinleck desfechara um violento contra-ataque no setor litorâneo da frente, mantido pelos italianos. Após um bombardeio sem precedentes no deserto norte-africano, a recém-chegada 9ª Divisão Australiana investiu sobre a posição. Os italianos cederam, a estratégica colina de Tell el Eisa foi tomada, e Rommel teve que abandonar seu próprio ataque para estabilizar a frente.

O plano britânico de atacar os italianos em pontos diversos, forçando Rommel a deslocar-se em várias direções para socorrê-los, estava funcionando e, mais importante, estava deixando-o sem a iniciativa na batalha. Entre os dias 9 e 16 de julho, foram desfechados seis destes ataques contra os italianos, que causaram a destruição das divisões Sabratha e Trieste, ao norte, e das Pavia e Brescia, na crista de Ruweisat, ao sul. O colapso total da frente só foi evitado, empregando-se as últimas reservas de tropas alemãs.

Nos dias 21, 22 e 26 de julho os britânicos decidiram transformar a derrota sofrida por Rommel em sua total destruição, ou ao menos em sua retirada. Os contra-ataques aliados fracassaram, porém, por causa da falta de entrosamento entre a infantaria e a força de blindados, como a tentativa no dia 22 pelos neozelandeses e pela 23ª Brigada Blindada na orla sul da crista de Ruweisat, e também pelo colapso das comunicações pelo rádio.

Passando de uma postura ofensiva frustrada para um sucesso defensivo, Rommel conseguiu estabilizar sua frente, em um módulo defensivo que se aglutinava lentamente. Ainda que, ao final, Rommel não tivesse sido forçado a bater em retirada, a primeira batalha de El Alamein salvou o Egito e garantiu que todo o Oriente Médio permanecesse britânico.

Rommel fora finalmente contido.

A BATALHA DE ALAM HALFA

Em vista do insucesso em El Alamein e da precária situação do abastecimento, Rommel exprimiu a intenção de se retirar para as elevações fronteiriças em Solum, posição menos exposta. A manobra defensiva, porém, não aconteceu por dois motivos. Em primeiro lugar, Hitler via qualquer recuo de um território inimigo conquistado uma perda de dignidade e um desprestígio. Além disso, o Estado-Maior Alemão defendeu que a presença de Rommel no local contribuiria para o avanço alemão em direção ao Cáucaso.

Assim, o militar alemão, perito intuitivo da guerra de movimento, viu-se amarrado a uma posição defensiva estática. Como sempre, procurou tirar o máximo de proveito da situação.

A questão do abastecimento era crítica, já que todo suprimento do Panzerarmee vinha de Trípoli e de Bengazi e agora tinha que ser transportado por mais de 960 km até a frente. O porto mais próximo, Tobruk, só podia reduzir essa distância em 480 km e de qualquer modo, não podia receber mais de 600 toneladas por dia, uma fração das necessidades globais. Para agravar essa situação, a estrada costeira, única via pavimentada, estava sujeita a ataques aéreos por parte dos britânicos.

O reforço recebido, em razão do cancelamento do ataque a Malta, permitia repor as pesadas perdas sofridas. A 164ª Divisão de Infantaria Alemã, a Brigada Paraquedista Ramcke e a Divisão Aerotransportada Folgore Italiana eram um acréscimo importante embora estivessem pouco aclimatadas para a guerra no deserto. Os efetivos em tanques aumentaram em quantidade e qualidade. O DAK tinha, por volta de 30 de agosto, 166 tanques PzKpfw III, dos quais 75 equipados com canhões de 50 mm de cano longo, e 37 PzKpfw IV com o canhão longo de 75 mm.

Rommel via-se agora na condição de lançá-los na luta. As condições eram menos propícias, mas não desesperadas. A maioria dos suprimentos britânicos era transportada pela longa rota que contornava o cabo da Boa Esperança, por isso ele calculou que as perdas sofridas pelo inimigo em junho-julho, só seriam repostas em meados de setembro. Nessas circunstâncias, se o Panzerarmee pudesse, num esforço supremo, desfechar um golpe forte no início do mês, talvez conseguisse uma vitória que o levasse até o Nilo. Contando com a vantagem de possuir uma técnica de batalha superior a dos britânicos, Rommel pensou que sua força blindada pudesse permanecer na retaguarda do inimigo por tempo suficiente para lhes desvanecer a vontade de resistir. Assim, a posição de El Alamein poderia entrar em colapso e seria possível reiniciar a guerra de movimento, na qual era mestre consumado. O marechal comentou em seu diário:

> Confiávamos particularmente nesse plano, na reação lenta do comando e das tropas britânicas, pois a experiência mostrara que eles sempre demoravam na tomada das decisões, e em pô-las em vigor. Portanto, contávamos em oferecer aos britânicos a operação como um fato consumado.

A chave para o sucesso da operação eram os suprimentos. Rommel esperava vencer pela surpresa, pois carecia de reservas em homens e material para enfrentar uma batalha de atrito e faltava-lhe, sobretudo, reservas de combustível. A garantia do general Cavallero, proferida três dias antes do ataque – "Você pode começar a batalha, o combustível já está a caminho" –, não se concretizou.

Das 6 mil toneladas de gasolina enviadas, apenas uma pequena parte chegou. A maioria da tonelagem foi perdida com o afundamento do petroleiro que a transportava ao largo de Tobruk.

Infelizmente, também foi nessa época que os problemas gástricos de Rommel começaram a assumir proporções mais sérias, deixando-o realmente doente. Ele vinha enfrentando, há quase dois anos, condições climáticas muito rigorosas, desenvolvendo um tipo de luta esgotante, fazendo questão de viver como seus soldados, o que punha sua saúde em risco. Ele sempre procurara ignorar suas deficiências de ordem física, mas sentia agora que os sintomas se agravavam, mormente em situações militares adversas, pelo estresse que causavam.

Do lado britânico, após a visita de Churchill ao Cairo no início de agosto, o comando da campanha foi mudado. Auchinleck foi afastado, e para seu lugar foi nomeado o general Alexander, com o general Montgomery como comandante do 8º Exército. Um Panzerarmee tão próximo de Suez era, na opinião do primeiro-ministro britânico, uma ameaça insuportável. O canal de Suez, linha vital para os suprimentos e os deslocamentos navais britânicos, tinha que ser mantido aberto a qualquer custo. "Rommel, Rommel, Rommel! O que mais importa a não ser derrotá-lo?", foi sua assertiva final.

Montgomery, conhecido tanto por sua lucidez como por sua vontade férrea, assumiu o comando do 8º Exército com uma injeção de sangue novo. Não haveria mais combates dispersos e fragmentários, mas sim a defesa impenetrável de um terreno estratégico. Esperando um movimento ofensivo alemão para breve, organizou um flanco esquerdo voltado para o sul, ao longo da serra de Alam Halfa, que fez fortificar com a 44ª Divisão de Infantaria, chegada da reserva.

Rommel atacou na noite de 30 de agosto, na última tentativa de levar de roldão as defesas de El Alamein, antes que a balança das forças pendesse claramente para o lado britânico. Atacou com uma penetração através de um terreno de 48 km repleto de campos minados, esperando surpreender os britânicos.

Mas a concentração de forças alemãs deixou de ser secreta antes do anoitecer do próprio dia 30, passando a sofrer ataques aéreos e incessante fogo de artilharia. A evolução da arremetida começou a sofrer atrasos quando os tanques tropeçavam em desconhecidos campos de minas ou atolavam nas dunas de areia fofa, causando um excessivo consumo de combustível. Ao amanhecer, o trabalho de se abrir uma passagem através dos campos minados mal estava concluído, e o terreno estava coberto de veículos destruídos.

Na verdade, não havia mais por que prosseguir, pois toda a surpresa se perdera. As forças blindadas alemãs estavam dispersas, com o combustível escasseando, longe de **engajar** o inimigo e a mercê de pesados bombardeios aéreos. O movimento inicial de flanco teve que ser abandonado, por ser impraticável. A escolha agora era apenas entre a prudência e a temeridade, entre o recuo sensato ou o avanço imprudente.

Rommel, que em razão de sua doença comandava a batalha do Q-G do Panzerarmee na retaguarda, dirigiu-se para a frente em 31 de agosto. Ao seu médico, doutor Horster, confidenciou: "A decisão de atacar hoje é a mais difícil de quantas já tomei. Ou o exército na Rússia consegue ir até Grozny, e nós, na África, conseguimos chegar ao canal de Suez, ou...", e completou o desabafo com um gesto de derrota. Assim, é possível entender sua intenção de prosseguir mesmo diante da derrota do dia anterior. Foi uma decisão desesperada, uma última tentativa duplamente incerta, porque só poderia ser dirigida contra o setor mais forte da frente, a crista de Alam Halfa.

Durante dois dias os alemães persistiram, mas não conseguiram ultrapassar as defesas britânicas. Em meio a blindados que ardiam e a canhões antitanque destruídos, a linha principal de defesa mal foi penetrada, e o ataque teve que ser suspenso. As modificações introduzidas no comando do 8º Exército melhoraram o rendimento da tropa. Os blindados britânicos obedeciam a novas disposições táticas e já não se apresentavam como presas fáceis aos predadores alemães; haviam aprendido a combater "ao modo" alemão. Assim, agora eram eles que atraíam os blindados inimigos para posições defensivas cuidadosamente preparadas, onde seus canhões antitanque podiam destruí-los.

Mesmo em seus planos para um contra-ataque, Montgomery recusou-se a permitir qualquer tipo de perseguição, limitando-se a bloquear, com um sucesso relativo, a linha de retirada das unidades alemãs mais avançadas. Ele venceu a batalha com táticas puramente defensivas.

O ataque, ou a Corrida dos Seis Dias, como os alemães a chamaram, terminara em derrota. Mas Rommel pôde sair da derrota com a reputação quase intocada, pois os comunicados oficiais alemães chamavam a operação, eufemisticamente, de "reconhecimento com grandes efetivos". Pela primeira vez o Panzerarmee teve que adotar uma postura defensiva, da qual não poderia sair, e a iniciativa das operações passou para Montgomery. Rommel, cavalheiresco como sempre, escreveu: "Não há dúvidas de que a maneira como o comandante britânico se comportou foi absolutamente certa e adequada para a ocasião, pois nos causou, assim procedendo, danos muito mais sérios do que sofreu, preservando o poder de ataque da força que conduz".

Mas essa declaração não podia ocultar a verdade. Pelo fim de agosto, toda posição do Eixo na África era falsa. Sem obter êxito em fornecer apoio suficiente para permitir a tomada do Egito num só golpe, a estratégia correta teria sido uma retirada para as poderosas defesas naturais no passo de Hafaya. Como isso era impensável para Hitler e Mussolini, que não raciocinavam em padrões estratégicos, mas sim políticos, a retomada da ofensiva contra os britânicos no Egito era inevitável. Mas o ataque à crista de Alam Halfa deveria ter sido suspenso tão logo desapareceu o fator surpresa, única chance alemã de sucesso. Ficar quase passivo, por mais de 48 horas, exposto aos efeitos deletérios de toda sorte de fogos de artilharia, depois da repulsa inicial do assalto, foi um comportamento característico de um Rommel diferente, um Rommel doente.

A SEGUNDA BATALHA DE EL ALAMEIN

A doença de Rommel agravou-se e ele voltou à Alemanha para tratamento médico em 23 de setembro, entregando temporariamente o comando do Panzerarmee ao general Ritter von Thoma, comandante da DAK. Dois anos de tensão constante, física e mental, cobraram seu preço. O fato de ele ter resistido tanto tempo às tensões da guerra no deserto ilustra bem o vigor moral que possuía.

Antes de deixar a frente de batalha, ele concebeu um bom plano defensivo. Suas seis divisões de infantaria, cinco italianas e uma alemã, juntamente com a brigada de paraquedistas Ramcke, enterraram-se ao longo dos 60 km da frente, atrás dos chamados "jardins do diabo". Tratava-se de cercados de minas gigantes para garantir a segurança da linha, 5 km de base e 6 km de profundidade. Eram naturalmente abertos para a frente inimiga, de modo que os assaltantes neles penetrassem como numa ratoeira. Havia três desses jardins no setor norte da frente e outros dois em sua porção sul. A 90ª Divisão Ligeira cobria a estrada costeira, enquanto a 15ª Panzer e a Divisão Blindada Littorio constituíam a reserva blindada posicionada ao norte, e a 21ª Panzer com a Divisão Blindada Ariete cobriam a reserva do setor sul. A ideia de mesclar as forças alemãs com as italianas destinava-se a dar mais coesão e impulso ao punho blindado em contra-ataques.

Fazendo uma escala em Roma, Rommel encontrou-se com o marechal Cavallero, garantindo-lhe retornaria prontamente à África no caso de uma ofensiva britânica. Chegou a Berlim em 24 de setembro. Foi aclamado euforicamente como um vencedor, recebendo das mãos de Hitler seu bastão de marechal de campo. No dia seguinte, antes de retirar-se para a clínica em Semmering, perto de Viena, permitiu-se um gesto dramático de efeito propagandístico. No salão de

Deutsches Bundesarchiv

Rommel é entrevistado pelo serviço de propaganda alemão. África, setembro de 1942.
Ao fundo, o general Fritz Bayerlein, chefe do Estado-Maior do DAK.

SEGUNDA BATALHA DE EL ALAMEIN, NOVEMBRO DE 1942.

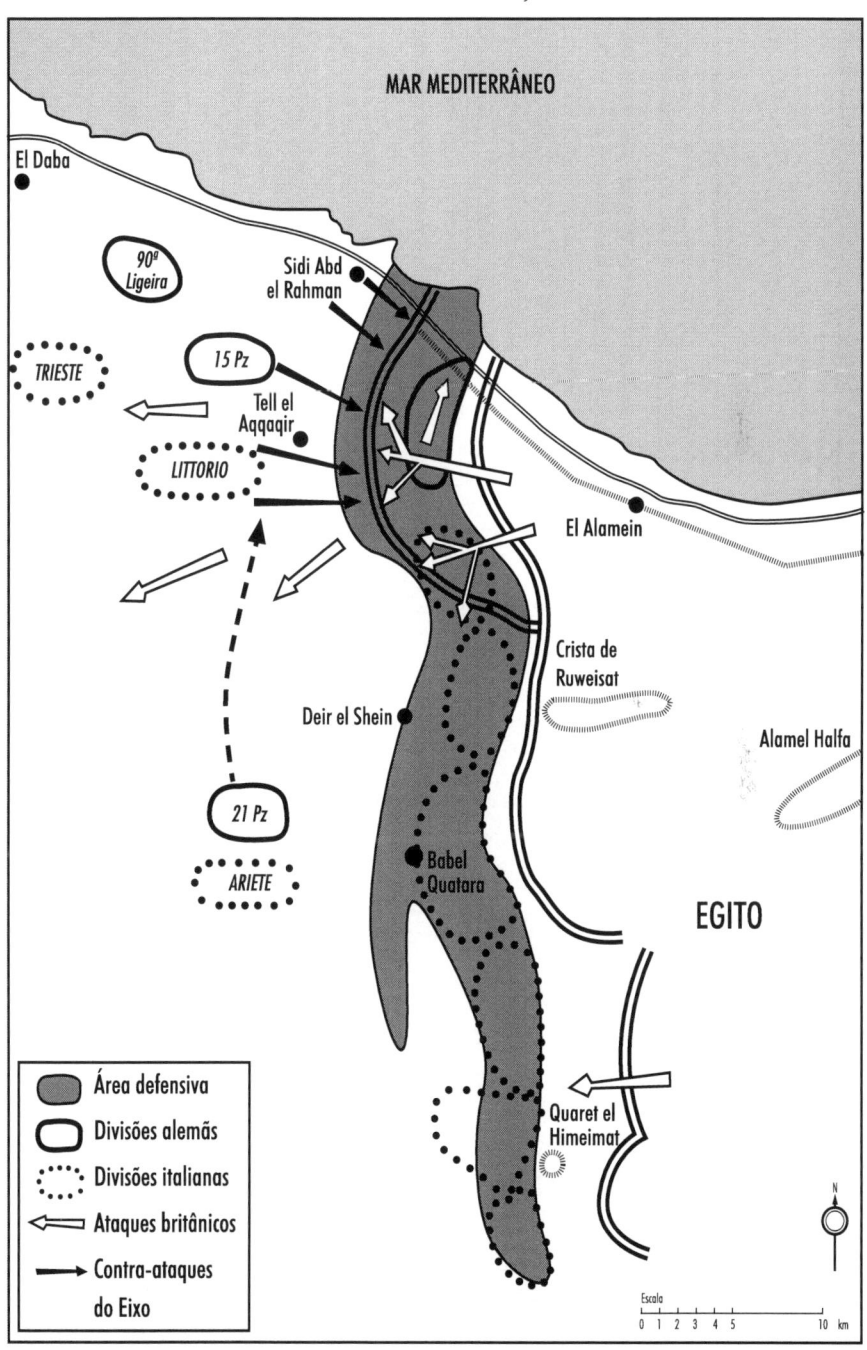

gala do Ministério da Propaganda do Reich, lotado pela presença da imprensa não só alemã, mas também estrangeira, ao entrar na sala, ficou um momento junto à porta cuja maçaneta segurava na mão. Em meio ao silêncio que se fizera, sua voz ressoou: "É assim que tenho a mão sobre a maçaneta da porta de Alexandria". De certa forma fazia coro com Goebbels, o ministro da Propaganda, em seu esforço para romantizar o DAK. Já que as tempestades de areia e o incômodo das moscas rendiam imagens cinematográficas tão desagradáveis quanto os soldados famintos, sedentos e cobertos de sujeira, o ministro precisou reinventar a guerra no deserto. Ela era mostrada ao público como combatida por homens satisfeitos, bem alimentados, tirando um prazeroso cochilo nas areias de deserto, fritando ovos no capô quente de um caminhão. Havia cenas idílicas, como um oásis com burros pastando, tamareiras e crianças beduínas brincando. A guerra tornou-se uma fantasia, sem qualquer menção a sofrimento, problemas de abastecimento, penúria ou morte, para consumo do povo alemão.

O retorno à Alemanha deu a Rommel a oportunidade de discutir com seus superiores a crítica situação do abastecimento. Ele enfrentava vários entraves. Em primeiro lugar, o preconceito do estado-maior para com sua figura; em segundo, o antagonismo pessoal provocado pela inveja de seus feitos; em terceiro, a falta de percepção estratégica das potencialidades do teatro Mediterrâneo. Tudo isso somado fez com que a questão crucial do abastecimento não fosse resolvida de maneira definitiva. Teve que se contentar com as promessas que Hitler não podia cumprir, como equipar o Panzerarmee com mais combustível, mais blindados e mais canhões antitanque. Sintomaticamente, as ponderações de Rommel de que o efeito da superioridade aérea inimiga poderia invalidar os princípios em que a Blitzkrieg se baseava, caíram em ouvidos moucos. Hitler parecia ter uma confiança cega no DAK e continuava otimista sobre a vitória final.

Montgomery iniciou seu ataque na noite de 23 de outubro. Seu planejamento foi de grande simplicidade. Prender a atenção do inimigo com ataques de diversão sobre o segmento sul da frente, mais vulnerável, e atacar o lado norte, melhor defendido, com força total. Um feroz bombardeio de artilharia abriria caminho para o assalto da infantaria. Os engenheiros, então, abririam corredores através dos campos minados, para o deslocamento das unidades blindadas, que ocupariam as cristas de Kidney e de Miteirya. Enfrentaria o DAK dessas posições dominantes, numa repetição das batalhas de destruição de Alam Halfa.

O comandante inglês contava com ampla superioridade para levar a cabo seu intento. Pôs em campo 1.029 tanques, contra 496 (dos quais 220 alemães);

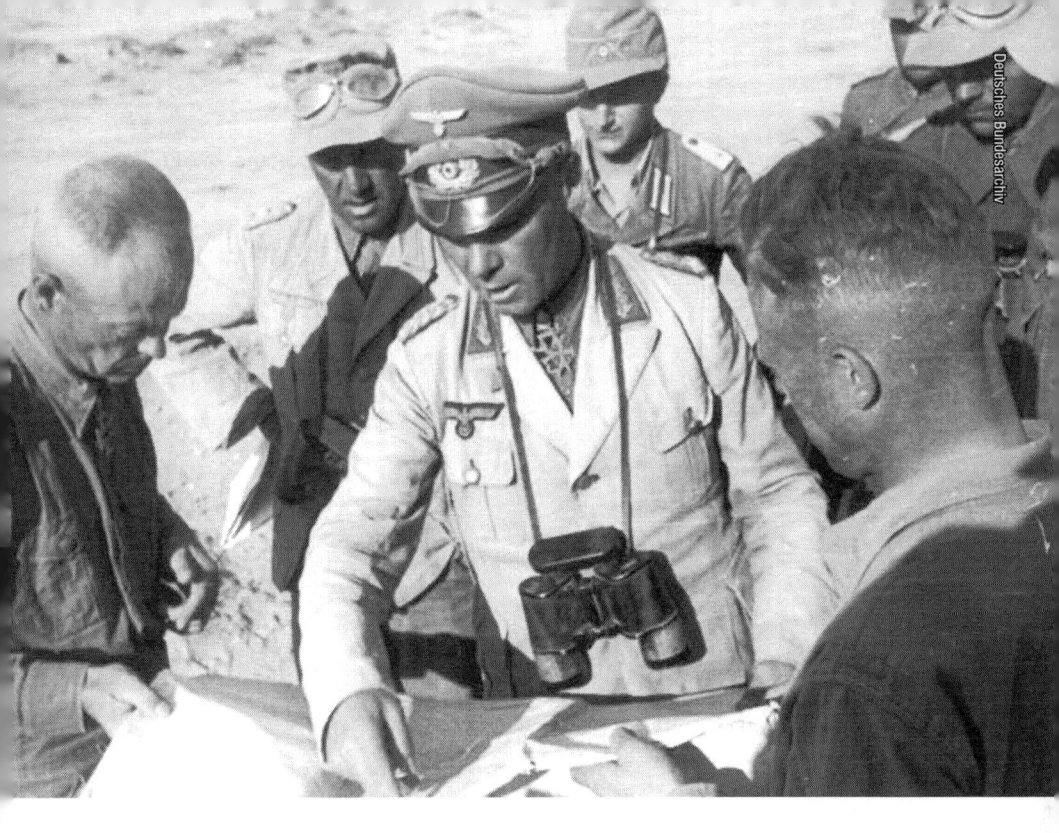

Rommel com os generais von Bismarck e Bayerlein, planejando como conter a ofensiva britânica durante a Segunda Batalha de El Alamein. África, novembro de 1942.

1.451 canhões antitanque contra 850 (550 alemães); 908 canhões de campanha contra 500 (200 alemães); e 195 mil soldados contra 100 mil (30 mil dos quais alemães). No ar, sua vantagem era ainda maior. Podia contar com 800 aviões contra 372, dos quais 120 alemães.

Na noite de lua cheia de 23 para 24 de outubro, um fogo de barragem infernal atingiu as posições alemãs, secundado pelo bombardeio executado por possantes esquadrilhas aéreas, concentrando-se no segmento norte da frente.

Pelo amanhecer do dia 24, já era possível estabelecer um padrão de combate. Um ataque britânico ao sul fora detido nos campos minados, mas ao norte o inimigo alcançara a crista de Miteirya, e a infantaria inglesa e australiana estava avançando para a crista Kidney.

Na Alemanha, um chamado de Hitler tirou Rommel do sanatório em que se internara, ainda não inteiramente refeito. A noite seguinte já o encontrou percorrendo a frente de batalha. Verificou que as penetrações britânicas em suas linhas, embora graves, só foram conseguidas a custa de pesadas perdas em potencial humano.

Foi também a conclusão de Montgomery, que modificou seu plano original para um ataque concentrado contra o norte da frente inimiga, denominado

Operação Supercharge. Iniciou-a na noite de 28 de outubro e logrou abrir uma brecha nas defesas alemãs. Um contra-ataque efetuado pela 90ª Ligeira falhou. Finalmente, os esforços concentrados das 15ª e 21ª Panzer acabaram por expulsar os britânicos de suas posições, com grandes perdas em tanques. Tornava-se patente que as forças de Rommel não podiam mais conter o assalto britânico. Em 1º de novembro, duas divisões blindadas britânicas surpreenderam o DAK avançando através da Trilha de Rahman. Seguiu-se uma grande batalha de tanques, em que os britânicos abriram caminho lutando, independentemente das baixas sofridas, e os artilheiros antitanque alemães esforçavam-se desesperadamente para contê-los, pois se não o conseguissem, o conflito passaria para uma fase móvel que não mais estariam em condições de manter.

Diante dessa pressão, Rommel decidiu romper o contato e retirar-se para Fuca, dando a batalha por perdida. Na noite de 2 de novembro, alertou o Q-G de Hitler da precariedade de sua situação, e mandou os primeiros escalões iniciar a retirada, quando Montgomery estava diminuindo o ímpeto do ataque e reorganizando suas unidades, o que dava mais possibilidade para um movimento de retração, permitindo salvar a maioria das unidades empenhadas.

No início da tarde do dia 3, chegou ao posto de comando do Panzerarmee uma ordem do Führer. Dizia:

> O povo alemão acompanha comigo, confiante na sua personalidade de chefe e na valentia das tropas italianas e alemãs que lhe foram confiadas, as heroicas batalhas defensivas no Egito. Na situação em que o senhor se encontra não pode haver outra ideia que a de aguentar até o fim, não recuar um passo e empenhar na batalha todas as armas e todos os combatentes. Apesar da sua superioridade, o inimigo acabará também consumindo suas forças. Não será a primeira vez na história que uma vontade mais forte triunfará sobre os mais fortes batalhões do inimigo. Cumpre-lhe pois, unicamente, mostrar a sua tropa o caminho que leva à vitória ou à morte. Adolf Hitler

Militarmente, a ordem de Hitler condenava o Panzerarmee à destruição; psicologicamente, desatendido pela primeira vez por Hitler, Rommel perdeu a confiança cega que depositava no Führer. Acostumado a exigir de seus subordinados obediência absoluta, o marechal curvou-se à ordem de resistir.

Em 3 de novembro, os alemães defendiam desesperadamente três posições, nenhuma viável. Ao redor de Fuca, grupos avançados da 90ª Ligeira com algumas unidades italianas dispersas defendiam uma posição vulnerável ao flanqueio; em El Alamein, a frente original era precariamente mantida por porções da 164ª Divisão e da Brigada Paraquedista Ramcke, enquanto massas de infantaria italiana ou fugiam ou passivamente esperavam ser recolhidas pelos britânicos; e a oeste da trilha de Rahman, o DAK com remanescentes da Divisão Blindada Ariete, preparava seu sacrifício por vontade de Hitler. Por toda volta, os tanques britânicos procuravam penetrar mais no deserto para flanquear o inimigo e penetrar em seu centro.

Na manhã seguinte, a Divisão Blindada Ariete foi completamente destruída, as posições alemãs foram penetradas em três pontos diferentes, as perdas foram além do suportável (50% para a infantaria e 40% para a artilharia) e próprio general von Thoma foi capturado. Rommel viu-se forçado a evacuar o terreno, no que foi prontamente apoiado pelo marechal Kesselring, que em vista das circunstâncias, julgou a ordem do Führer inexequível. Obtida por fim a permissão de Hitler, os remanescentes do exército ítalo-germânico retiraram-se temporariamente para a posição de Fuca, onde se agruparam. Restavam cerca de 40 tanques e 20 canhões de campanha, e alguns milhares de soldados. Começava a longa retirada.

A derrota de El Alamein custara a captura da maioria da infantaria italiana, o aniquilamento de suas divisões blindadas, quase todo o material ofensivo alemão e o sonho de conquistar o Egito.

As batalhas de destruição

"Às vezes é muito desvantajoso ter boa fama militar. Conhecem-se melhor os próprios limites quando os outros reclamam milagres e consideram cada derrota como produto da má vontade."
Desabafo de Rommel,
após a derrota de El Alamein

As retiradas de tropas derrotadas em uma batalha devem ser planejadas dentro de um esquema que aproveite as peculiaridades do terreno para causar atrasos à perseguição. Dessa forma, o corpo principal consegue tempo para escapar, proceder a evacuação do material essencial e preparar uma posição de resistência à retaguarda. No deserto norte-africano, essas condições de terreno encontram-se perto da costa, em Mersa Matruh, Halfaia, El Agheila. A segurança de cada uma delas dependia da garantia dada por uma força blindada móvel no flanco aberto do deserto. Em 5 de novembro, o Panzerarmee não possuía nem os efetivos para defender adequadamente o terreno nem uma força de tanques para cobrir seu flanco. Somente a velocidade poderia salvá-lo, auxiliada por um rígido controle de tráfego. À medida que o exército vencido se contrai, suas unidades administrativas devem ser mandadas para trás antes que a retaguarda possa ceder terreno. Simultaneamente, outros escalões de tropas de combate precisam ser enviados mais para trás, para preparar as sucessivas linhas de resistência. No caso do Panzerarmee, o procedimento revelou-se impossível de ser seguido dada a escassez de combustível na área avançada. No dia 6 de novembro, só restava combustível suficiente para reabastecer a 15ª Panzer em trânsito para Mersa Matruh, de modo que a 21ª Panzer ficou detida e teve que lutar contra a 7ª Divisão Blindada Britânica em Fuca, com resultados catastróficos. Apenas quatro, dos trinta tanques recuperados em El Alamein, salvaram-se.

Para o general Bayerlein, no comando do DAK, as ações de retardamento tornavam-se a cada dia menos viáveis. Assim, a unidade de reconhecimento Voss foi lançada como tropa de aviso, espalhando-se pelo deserto; a 90ª Ligeira mais os remanescentes do DAK formaram uma reserva móvel, para ser usada apenas em caso de extrema emergência, e o restante do exército simplesmente partiu rumo a El Agheila, de onde havia saído cheio de esperanças dez meses antes.

A chuva torrencial que desabou durante uma semana no deserto retardou a perseguição dos britânicos, também atrapalhados por problemas logísticos. Suas colunas de suprimento foram sobrecarregadas de munição e transportavam pouco combustível.

Em plena retirada, Rommel foi informado sobre desembarques inimigos em praias à sua retaguarda, entre Tobruk e Bengazi. A notícia não se confirmou, mas as informações que o alcançaram no dia seguinte, 8 de novembro, eram ainda piores. Uma vasta operação de forças norte-americanas e britânicas invadira toda a costa da África do norte, de Casablanca, no Marrocos, a Argel, na Argélia, na chamada Operação Tocha. "Isto", escreveu o marechal, "representa o fim do exército da África". Em pouco tempo, os Aliados tomariam a Tunísia e alcançariam Trípoli, e então não haveria escapatória. Com o inimigo instalado em sua retaguarda e com 3.200 km de difícil retirada a realizar, Rommel achava-se em uma ratoeira.

Na verdade, já não havia razão estratégica para a permanência no norte da África, uma vez que os anglo-americanos poderiam destruir quaisquer forças que o Eixo enviasse da Itália. Talvez a Tunísia pudesse ser mantida, mas temporariamente, de modo a formar uma cabeça de ponte capaz de acolher as maltratadas forças do DAK e evacuá-las em segurança para a Sicília. Argumentando com o general Lungerhausen, comandante da 164ª Ligeira, Rommel ponderava:

A campanha está perdida. A África está perdida. Se não compreenderem isto em Roma e Rastemburgo, e não forem a tempo tomadas as medidas necessárias ao salvamento dos meus soldados, terminará em cativeiro um dos mais destemidos exércitos da Alemanha. Quem, então, defenderá a Itália contra a invasão que a ameaça? Que significa o material que tivermos que abandonar? A maior parte é material inglês de presa e o resto pouco mais vale que ferragem. Porém, 150 mil homens, entre os quais 70 mil soldados alemães experimentados e duros como aço na luta, representam ainda uma força considerável para ganhar batalhas na Sicília ou no sul da França e evitar a derrota total.

Abruptamente, as róseas esperanças de vitória que haviam desabrochado tão belas em junho, murcharam. E não só no norte da África. Também no *front* leste, enquanto o avanço em direção aos campos petrolíferos era imobilizado em Grozny, em Stalingrado, o 6º Exército Alemão encontrava-se totalmente cercado.

Rommel vinha conduzindo uma bem organizada retirada de El Alamein, sem abandonar o combate, sendo atormentado por ordens de fazer alto e resistir nas diversas localidades que alcançava. Eram ordens impossíveis de serem obedecidas, pois seu acatamento teria significado a destruição de seu exército. Assim, Halfaia foi evacuada em 11 de novembro, Tobruk caiu em 13 e Bengazi em 21 de novembro. Os alemães destruíram portos das cidades que deixavam para que os britânicos não pudessem utilizar a infraestrutura para abastecimento.

El Agheila foi alcançada em 23 de novembro, e a chegada do exército rebocando numerosos veículos, marcou um momento decisivo. Sua disciplina continuava exemplar. Como um rochedo, resistira aos choques com o inimigo. Mas a perda de Bengazi e com Trípoli situada a 800 km, e a única estrada costeira sujeita a constantes bombardeios aéreos, o abastecimento deixava ainda muito a desejar. Hitler insistia na defesa da posição, alegando que mais um recuo solaparia o moral. Mussolini era da mesma opinião, tanto que mandou o general italiano Cavallero ordenar a Rommel: "A posição deve ser mantida e todos os preparativos para uma ofensiva contra o 8º Exército devem começar". A posição defensiva de El Agheila jamais fora posta seriamente a prova, mas não passava, na opinião de Rommel, de um abrigo temporário dado a facilidade com que poderia ser flanqueada.

Todas as tentativas de isolar o Panzerarmee durante a longa perseguição através do deserto fracassaram e as hábeis manobras conduzidas por Rommel, recusando-se a travar combate, mantiveram suas forças quase intactas. A perseguição foi dura, mas algumas tropas britânicas olhavam ao redor, inquietas, esperando a todo momento pelo golpe súbito de Rommel que as isolaria e faria recuar. O golpe não chegou.

No dia 29 de novembro, Rommel encontrou-se no Q-G do Führer em **Rastemburgo**, chamado para uma conferência. Hitler, que estava acompanhado do marechal Göring, comandante da Luftwaffe, iniciou a conversa perguntando como estavam as coisas na África. Rommel passou a explicar os motivos pelos quais os britânicos haviam vencido em El Alamein.

"Eles tinham melhor material, uma artilharia mais potente, maior número de tanques e superioridade aérea." Continuou explicando que após o rompimento da frente, não vira mais possibilidade de manobra. "Não tínhamos mais carburante. Também não tínhamos munições. Também não dispúnhamos de armas suficientes."

"Mas onde ficaram as suas armas?", indagou Göring, e ele mesmo completou: "as armas foram jogadas fora durante a fuga". Hitler interferiu: "Quem não tem armas, estoura".

Rommel soergueu-se de sua poltrona, com o rosto congestionado. "Meu Führer…", começou ele, mas Hitler esmurrou a mesa de conferências e repetiu: "Quem joga fora a sua arma, e depois não tem mais arma para se defender, tem de estourar". Hitler perdeu por completo o controle. Passou a gritar com seu general favorito: "Uma retirada está fora de cogitação. Devemos continuar firmes. Desistir da África? Impossível".

Ao dizer isso, Hitler lembrava, com amargor, da posição de Stalingrado. O 6° Exército inteiro estava cercado na cidade pelas forças soviéticas desde 19 de novembro. Hitler jurara contra toda prudência manter Stalingrado. E agora teria que recuar na África? Nunca.

Assim que terminou seu ataque de nervos, mostrou a porta para Rommel, que estava completamente pasmo. Expulso da sala de conferências, foi após uns momentos alcançado por Hitler, que corria atrás dele e o chamava de volta.

Perguntado sobre a quantidade de rifles que possuía, respondeu: "Não contamos". A resposta enfureceu Hitler de tal forma que começou a insultá-lo, até que o general o interrompeu gritando: "O senhor deveria ir pessoalmente à África, *mein Führer*, e mostrar a meus homens como se defender dos tanques britânicos com rifles".

Mesmo com a atitude ameaçadora de Hitler, Rommel voltou a expor seu ponto de vista. A África do norte, em razão do desembarque aliado no Marrocos e na Argélia, não poderia ser mantida por muito tempo. Devia-se, "sem preocu-

COSTA NORTE-AFRICANA, DA TUNÍSIA AO EGITO.

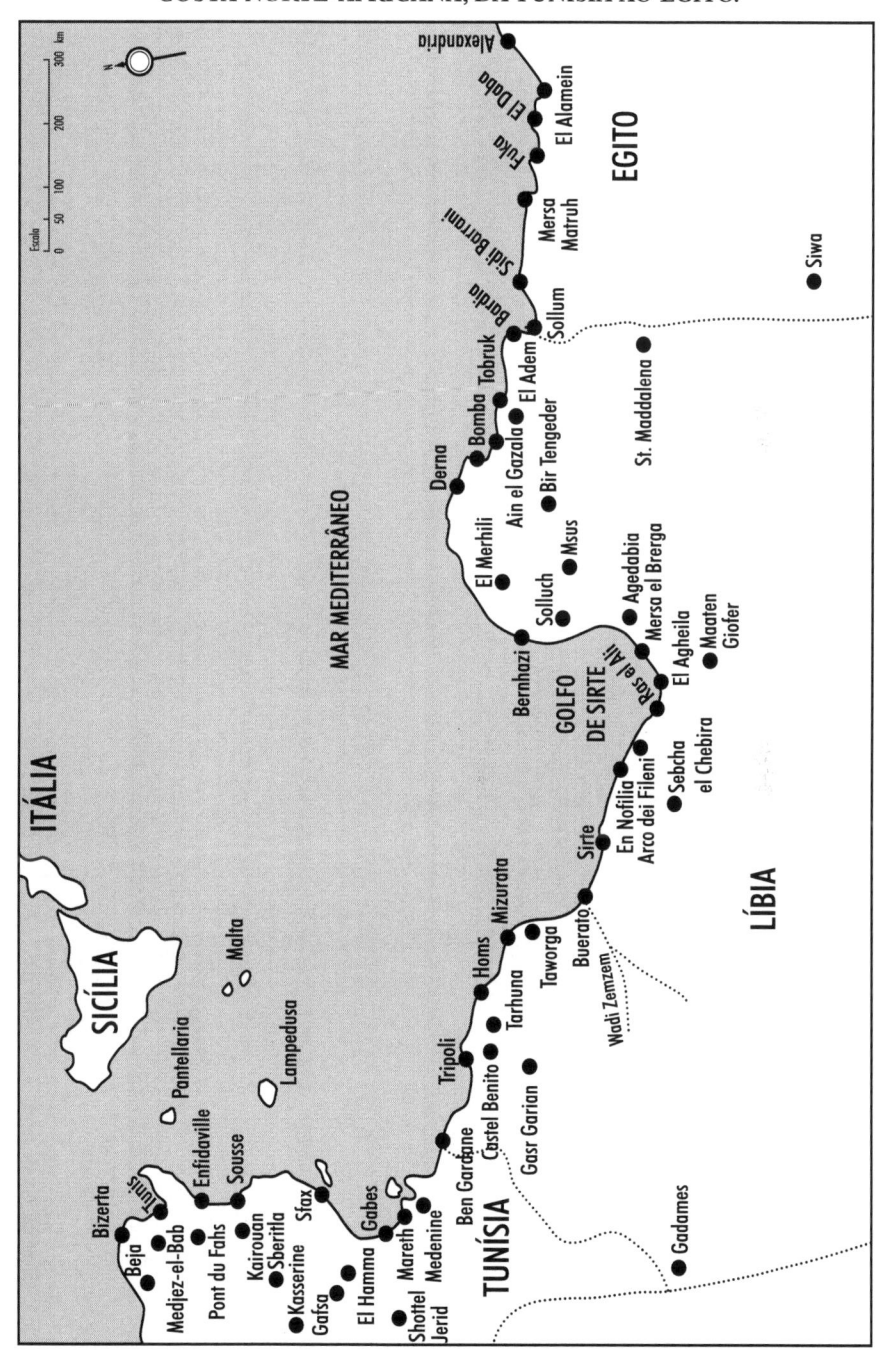

pação com o material, retirar o exército blindado para a Itália, a fim de defender o continente da futura invasão anglo-americana". Apelou com veemência para seu comandante supremo, apenas para ter uma resposta em tom glacial:

> Rommel, espero nunca mais ouvir semelhante loucura de sua boca. A África do norte será defendida, como Stalingrado será defendida. O exército invasor norte-americano terá que ser esmagado diante da porta de entrada da Itália e não em sua sala de visitas, que é a Sicília!

Aquilo soava bem, era até razoável, desde que enviassem para a África tanques, soldados e aviões em número suficiente. Mas durante vinte meses não se pudera remeter o bastante para vencer um exército, e agora se exigia a derrota de dois. Em Rastemburgo vinha-se considerando a campanha da África como uma mera guerra colonial, e não como um teatro de operações estrategicamente decisivo.

Rommel tentou ainda protestar, mas Hitler cortou-lhe a palavra: "A África do norte será defendida e não evacuada; isto é uma ordem, senhor marechal. Isto é uma ordem", repetiu.

De acordo com a fórmula da tradição prussiana, pela qual se silenciava todo ponto discordante, Rommel obedeceu com um aperto no coração. Marechais de campo prussianos não se rebelam, mesmo tendo nascido na Suábia. Sua fé em Hitler sofreu forte abalo, e suas possibilidades como chefe de guerra diminuíram consideravelmente.

Retornando à África, evitou o inútil sacrifício do exército blindado na posição de El Agheila. Recuou as lentas divisões de infantaria não motorizadas italianas para Trípoli, a despeito da ordem de imobilidade recebida, e quando os britânicos atacaram, em 11 de dezembro, conseguiu retardar o avanço inimigo com as forças móveis. Mas o rompimento das linhas em El Agheila tornou patente que, dessa vez, não haveria recuperação possível para o exército ítalo-germânico.

A retirada de El Agheila aconteceu em 18 de dezembro. As tropas ainda detiveram-se em Buerat, onde armaram uma emboscada bem-sucedida, que destruiu 12 tanques de ponta britânicos. Problemas logísticos tornaram a perseguição britânica mais difícil a partir de meados de dezembro, tendo todo um corpo sido retirado da linha para auxiliar no transporte de suprimentos. Os portos capturados foram lentamente sendo reabertos, de modo a permitir aos britânicos o uso do transporte marítimo em vez das intermináveis colunas de caminhões. Mas o ritmo de seu avanço era determinado tanto pela logística como pela resistência do inimigo, o que resultava em um passo de tartaruga. Trípoli caiu em poder de Montgomery em 23 de janeiro de 1943, os alemães e italianos completaram a evacuação da Tripolitânia, e o exército blindado a 13 de fevereiro, encontrou-se ao abrigo da formidável Linha Mareth, conhecida como "pequena Maginot", na fronteira entre a Líbia e a Tunísia.

No decorrer da longa retirada, Rommel pôde meditar sobre as cenas que havia presenciado no Q-G de Rastemburgo. Um Hitler possesso, urrando e esmurrando mesas, completamente fora de controle. Um Hitler que vociferava "Já não posso confiar em mais ninguém" e "O êxito deu-me razão. Os meus olhos veem mais longe que os dos meus generais" não era, seguramente, o "maior comandante de todos os tempos", o "grande Führer do seu povo". "Quem era Hitler na realidade?", passou a indagar-se o marechal. Ele não estaria conduzindo a Alemanha para o abismo? Ou o peso da derrota na África e o cerco a Stalingrado seriam um ônus moral tão grande que só podia ser aliviado por meio de ataques coléricos? O homem que tinha nas mãos o destino de um grande povo não deveria ser senhor absoluto de suas decisões e de seus atos? Na alma de Rommel começava a avolumar-se o sentimento de que Hitler talvez fosse uma força perniciosa, que logo deveria ser neutralizada, para que a Alemanha tivesse um futuro.

A OPERAÇÃO TOCHA

A decisão de invadir as colônias francesas do norte da África – Marrocos, Argélia e Tunísia – foi tomada em agosto de 1942, pelos governos da Grã-Bretanha e dos Estados Unidos. As vantagens estratégicas de tal operação eram grandes. Forneceria bases adicionais para enfrentar a guerra submarina alemã no Atlântico. Reabria o Mediterrâneo ao tráfego marítimo aliado. Representaria a abertura de uma segunda frente, capaz de tranquilizar Stalin. Permitiria encurralar as forças de Rommel entre dois exércitos. E, ainda, concretizaria o estabelecimento de um anel de ferro em torno do "ponto fraco do Eixo", a Itália, que redundaria no desnudamento do flanco alemão no sul.

O planejamento foi executado pelo Conselho de Chefes de Estado-Maior Conjunto, que reunia comandantes norte-americanos e britânicos, dando ênfase aos problemas logísticos a serem enfrentados, dado que o único ponto de apoio vizinho era o porto de Gibraltar. Recebeu o nome de Operação Tocha, por sugestão de Churchill. Uma parte da força de invasão deveria partir diretamente da costa leste dos Estados Unidos, transportando duas divisões de infantaria e uma blindada. Outra parte sairia dos portos da Grã-Bretanha, com uma divisão blindada, duas divisões de infantaria americanas, e uma divisão de infantaria britânica. Poderosas e numerosas forças navais formavam escoltas.

A Operação Tocha era sobretudo uma delicada questão política. Os chefes de governo aliados preocupavam-se com as reações que o desembarque provocaria entre os franceses, pois Marrocos, Argélia e Tunísia eram territórios coloniais franceses, sob o domínio da França de Vichy.

O armistício franco-alemão de 22 de junho de 1940 estabelecia, entre outras cláusulas, que o governo francês seria responsável pela administração, cooperando com as forças alemãs na zona ocupada e pagando os custos de manutenção das tropas alemãs. O Império Colonial Francês seria preservado, não sendo utilizado pela Alemanha nem como recurso econômico, nem como capital político. O importante a respeito desses termos é que continuaria a existir um governo francês e que a França poderia representar um novo papel na Europa.

Em 10 de julho de 1940, a França passou de uma república parlamentar a um regime autoritário de direita, sob a égide do marechal Henri Philippe Pétain, herói nacional da Primeira Guerra. O novo governo mudou-se para cidade de Vichy, uma famosa estação de águas na França não ocupada, dado o grande número de hotéis que facilitava a instalação de escritórios governamentais. O governo de Vichy caracterizava-se por ser anticomunista, a ponto de um de seus dirigentes declarar: "Desejo a vitória da Alemanha, pois sem ela o bolchevismo se instalará por toda parte"; reacionário, apegado a valores tradicionais, que se traduziam pelo lema "Trabalho, Família, Pátria"; e colaboracionista, curvando-se às exigências alemãs sem chegar ao ponto de ser um mero satélite.

Mas acima de tudo tinha um profundo sentimento antibritânico, que só foi crescendo ao longo dos anos, em razão das seguidas atitudes hostis tomadas pela Grã-Bretanha. Em 3 de julho de 1940, os britânicos afundaram unidades da marinha francesa fundeadas em Mers El Kebir, base naval argelina perto de Oram, por acreditarem que elas seriam entregues aos alemães. A ação levou a França de Vichy ao rompimento de relações diplomáticas com a Grã-Bretanha. Em 25 de setembro do mesmo ano, uma tentativa de desembarque de forças de franceses livres, apoiadas por unidades britânicas em Dacar, capital da colônia africana do Senegal, foi duramente repelida. E, ainda, por ocasião da revolta antibritânica no Iraque em maio de 1941, Vichy ofereceu à Alemanha a utilização dos aeroportos da Síria, então sua possessão colonial. Tal atitude, que poderia pôr ao alcance da Luftwaffe os poços de petróleo iraquianos, resultou na invasão da colônia francesa por forças britânicas. Após uma sangrenta luta, os britânicos sagraram-se vitoriosos, e impuseram na Síria uma administração controlada pela França Livre.

Em fins de 1942, o general De Gaulle, à frente da França Livre, contava com poucos adeptos locais que conspiravam secretamente contra o regime. A grande massa da população branca do norte da África permanecia leal ao Governo de Vichy, inclusive os militares, cerca de 125 mil soldados da ativa e 200 mil reservistas. Nessas circunstâncias, o desembarque não poderia contar com a presença ostensiva de forças dos franceses livres, nem deveria parecer um mero ataque britânico. Providências foram tomadas para que a operação fosse, ou ao menos parecesse ser, uma iniciativa americana.

O general americano Eisenhower foi colocado no Comando Supremo e tropas americanas, comandadas por oficiais americanos, foram encarregadas dos desembarques inicias. Também a diplomacia americana, auxiliada pelo fato de os Estados Unidos nunca terem reconhecido os franceses livres e manterem uma embaixada em Vichy, esteve particularmente ativa no sentido de atrair simpatizantes aos chefes militares franceses.

Também a atitude da **Espanha franquista** inspirava cuidados. Temia-se que o Eixo, reagindo à invasão, efetuaria um movimento ofensivo contra Gibraltar, que com o apoio vindo do Marrocos espanhol fecharia o acesso ocidental do Mediterrâneo aos Aliados.

Comportando assim uma boa dose de aventura, os desembarques ocorreram no alvorecer de 8 de novembro de 1942, em vários pontos da costa. Apesar dos repetidos avisos de patrulhas marítimas que sobrevoaram os comboios de tropas, a operação foi uma completa surpresa para o Eixo, que pensou tratar-se de uma ação de reforço destinada a Malta.

A reação francesa foi desigual, mas no geral houve feroz resistência à invasão. Em Casablanca, a aviação francesa afundou vários navios de transporte aliados e as tropas de terra fizeram frente aos desembarques, tendo resistido por 48 horas. Em Oram, o batalhão de assalto da 1ª Divisão Blindada Americana foi esmagado pelas tropas de marinha francesa e dois destróieres foram afundados. Em Argel, a artilharia costeira francesa abriu fogo, e o sustentou por um dia inteiro, tendo destruído 98 lanchas de desembarque americanas.

Por fim, a ameaça de um movimento ofensivo por parte da Espanha não se concretizou, e a presença fortuita em Argel do almirante François Darlan, comandante em chefe das Forças Armadas Francesas, facilitou o fim da resistência francesa aos desembarques. O almirante pôde negociar um acordo com os representantes americanos, celebrado a 11 de novembro. Pelo acordo, foi assinado um armistício que punha fim à luta, e reconhecia a soberania da França em todos seus territórios africanos. Previa também, o reequipamento do Exército Francês da África com armamento moderno de procedência americana.

Contando agora com a cooperação das unidades francesas, por força do acordo de 11 de novembro, as forças anglo-americanas prepararam-se para a marcha para leste, em direção de Bizerta e Túnis, ação que coroaria a Operação Tocha.

A CORRIDA PARA A TUNÍSIA

Os desembarques no norte da África francesa tomaram as forças do Eixo totalmente de surpresa. Houve apenas um ataque de submarinos alemães contra a numerosa frota de invasão, e os navios de superfície da marinha italiana não puderam intervir por falta de combustível. Mas a reação alemã foi rápida e eficaz.

Na tarde de 8 de novembro, num telefonema ao comandante da 2ª Frota Aérea, Kesselring, nos arredores de Nápoles, o Führer indagou: "Que pode o senhor lançar como tropas terrestre em Túnis?". "Um punhado de paraquedistas e a minha companhia de Q-G", foi a resposta. "Mande para lá o que tem", ordenou Hitler. Em 9 de novembro, o aeródromo de Túnis, El Aoina, foi ocupado pelos primeiros elementos das forças aéreas alemãs, e a diplomacia conseguiu que as tropas alemãs não fossem consideradas inimigas.

Na manhã de 11 de novembro, organizava-se uma ponte aérea Itália-Tunísia. Hora após hora, ininterruptamente, os aviões de transporte alemães decolavam levando unidades de paraquedistas e tropas de infantaria sem seu equipamento pesado, que formavam o recém-constituído 90º Corpo, sob o comando do general Walter Nehring. Desembarcavam os homens em Túnis e no aeródromo de Bizerta e voltavam para buscar mais soldados, a razão de mil por dia.

Não se repetiriam na Tunísia as condições que levaram ao armistício de 11 de novembro. A autoridade do marechal Pétain foi restabelecida, o fraco movimento conspiratório foi prontamente reprimido, e oficiais franceses chegaram mesmo a formar uma falange africana para combater ao lado dos alemães e italianos.

Passada a surpresa inicial, forças de infantaria italianas sediadas nas vizinhanças de Trípoli atravessaram a fronteira e ocuparam a posição defensiva de Gabes, importante ponto para assegurar a ligação com o exército de Rommel que recuava. A marinha de guerra forneceu serviço de escolta para os navios de transporte italianos e alemães em condições de navegar, que somavam 1,7 milhões de toneladas brutas de capacidade de carga, garantindo o transporte seguro de reforços e suprimentos. Tropas blindadas alemãs e italianas vieram reforçar os contingentes de paraquedistas. A cabeça de ponte do Eixo na Tunísia começava a tomar forma, montando uma frente defensiva voltada para oeste.

Em 12 de novembro, forças britânicas desembarcam na região de Bône, no leste da Argélia. A primeira operação de combate na Tunísia só acontece em 17 de novembro, quando unidades da 78ª Divisão Britânica chocam-se, a 70 milhas de Túnis, com um batalhão de engenheiros paraquedistas. Após alguns avanços, os britânicos foram imobilizados no túnel de Gefna e não conseguiram prosseguir até janeiro de 1943.

Em 29 de novembro, a 36ª Brigada britânica foi repelida em uma tentativa de tomar Mateur. As tropas aliadas foram detidas por uma barragem de canhões de 88 mm, quando já avistavam as torres de Túnis. Tiveram de recuar para o aeródromo de Djedaida. Um salto de paraquedistas americanos no cabo Serrat, nas vizinhanças de Bizerta, foi abortado.

O general Nehring passou à ofensiva. Elementos importantes da 10ª Divisão Panzer recém-desembarcada, e três tanques PzKpfw VI Tigre, que com seu canhão de 88 mm não tinha similar em nenhuma frente, foram lançados contra os anglo-americanos em Tebourba. Após quatro dias de incessantes combates, as inexperientes forças aliadas foram derrotadas. Os alemães capturaram 1.100 prisioneiros e 40 canhões e destruíram 134 tanques.

A Batalha de Tebourba, aliada à chegada prematura da estação chuvosa – dificultando o abastecimento anglo-americano e o avanço de suas unidades de combate – decidiram a manutenção da cabeça de ponte alemã na Tunísia. Os Aliados haviam alcançado uma linha que se estendia ao longo da serra conhecida como Dorsal Oriental, e lá foram bloqueados, deixando o controle das planícies tunisianas para os ítalo-germânicos. Ferozes combates ainda foram travados, como a luta pelo controle de Djebel el Ahnera entre os dias 22 e 26 de dezembro, que recebeu o sugestivo nome de *"Long stop hill"* (Colina da Longa Parada), em razão das suas linhas não se moverem até o fim da campanha tunisiana.

As relações franco-alemãs sofreram uma profunda modificação, em virtude da deserção no norte da África. Hitler ordenou a ocupação de todo território francês sob a administração de Vichy em 27 de novembro, o que resultou no autoafundamento da esquadra francesa em Toulon, para que não caísse em mãos do Eixo, e na redução do governo de Pétain a um mero títere da Alemanha.

"Qual a destinação da cabeça de ponte tunisiana?", era o que se perguntavam os comandantes alemães. Ela se formara apenas para salvar o exército de Rommel? Ou Hitler pretendia retomar a ofensiva na África?

Em 3 de dezembro houve uma conferência no Q-G do Führer que respondeu essas questões. Os generais Jürgen von Arnim e Heinz Ziegler foram convocados do *front* leste, e inteirados de que Hitler pretendia manter uma cabeça de ponte permanente na Tunísia, com a formação do 5º Exército Panzer. Von Arnim seria o comandante do novo exército e Ziegler tomaria o lugar de um "substituto permanente e com plenos poderes". Tal nomeação, na opinião de Hitler, evitaria a ocorrência da situação enfrentada por Rommel, em que tudo dependia da personalidade de um só homem. E o comandante precisava ter alguém de igual posição com quem pudesse confidenciar. Enquanto o comandante estivesse visitando unidades – que no norte da África poderiam estar espalhadas por centenas de quilômetros –, haveria alguém em seu lugar, habilitado para agir. Esperava-se que isso assegurasse a atividade constante da tomada de decisão durante 24 horas do dia.

Aos dois oficiais foi prometido que receberiam ao menos três divisões blindadas e três divisões de granadeiros blindados, entre elas a divisão de elite da Luftwaffe, a Herman Göring. Indagando se seria possível abastecer tantas divisões através do Mediterrâneo, von Arnim ouviu um otimista "naturalmente".

Em 9 de dezembro von Arnim assumiu seu novo comando. A posição alemã na Tunísia oferecia duas vantagens. Primeiro, os suprimentos tinham que percorrer uma distância curta, de apenas 300 km dos portos da Sicília aos da Tunísia. Segundo, a superioridade tática e técnica dos alemães. Além de serem soldados veteranos, os alemães contavam com inovações bélicas, como o tanque Tigre, e uma nova arma de artilharia, o **Nebelwerfer** – uma peça de artilharia de múltiplos canos, com uma cadência de tiro devastadoramente alta.

Alemães e Aliados procederam à reorganização de suas linhas e a concentração de suas forças para as batalhas de primavera. Em fins de janeiro de 1943, aconteceu a Conferência de Casablanca, na qual os Aliados adotaram a fórmula da rendição incondicional dos países do Eixo, como condição para encerrar a guerra. E em 13 de fevereiro, as tropas de Rommel completaram a longa retirada. Postos avançados foram estabelecidos em Medenina, para evitar que Montgomery irrompesse de surpresa sobre a Linha Mareth.

A BATALHA DE KASSERINE

No início de fevereiro de 1943, o general Eisenhower ainda estava longe de seu objetivo de eliminar as posições do Eixo na Tunísia. O 1º Exército Britânico, como as forças aliadas foram nomeadas, completava sua concentração de forças, enfrentando ações ofensivas alemãs em pequena escala, destinadas a eliminar possíveis ameaças.

A mais premente ameaça contra a frente tunisiana estava em seu setor sul, em Tebessa e Sidi Bouzid. Dada a agressividade dos reconhecimentos americanos, os alemães podiam esperar para breve uma ofensiva de grande envergadura. O general von Arnim, contando com a 21ª Divisão Panzer, que, apesar de pertencer ao DAK, entrara em sua zona de comando em 30 de janeiro, elaborou a Operação Vento de Primavera. De acordo com seu plano, a 10ª e a 21ª Divisões Blindadas seriam lançadas de surpresa contra as forças americanas em curso de concentração a oeste do passo de Faiad. Se conseguissem esmagar as tropas blindadas americanas, poderiam reunir todas as forças disponíveis e dirigir-se ao norte, dissolvendo a frente americana. Não era uma ofensiva decisiva, mas destinava-se a trazer um alívio para a pressão inimiga.

Mas Rommel, que acabara de chegar ao teatro tunisiano, tinha outro plano. Sua ideia era atacar longe, nas costas do inimigo, suas linhas de abastecimento e de tráfico na estratégica encruzilhada de Tebessa, para depois investir rumo à costa e isolar todo o exército aliado dos portos argelinos, o que provocaria o desmoronamento da frente. Plano ousado, dado que Tebessa era protegida por três sucessivos maciços montanhosos que só poderiam ser atravessados por estreitos passos, sendo o mais importante o de Kasserine.

Rommel era objeto de suspeitas por parte da aristocrática elite de oficiais de onde von Arnim se originava. A energia, o arrojo e a habilidade que o transformaram em uma lenda e a imagem de marechal favorito de Hitler estimulada pelo aparato propagandístico do regime tendiam apenas a fazer a velha guarda prussiana considerá-lo um arrivista sortudo, com um inegável talento para a autopromoção. De sua parte, Rommel estava realmente abatido. Ignorara o conselho médico de que não estava apto a voltar ao estilo de batalha que se travava no norte da África. Encontrava-se doente e deprimido, sofrendo de insônia e com problemas circulatórios, mas sua velha intuição não o abandonara. Sentia que essa poderia ser a última oportunidade de recuperar sua reputação, arranhada pela derrota de El Alamein e pela perda da Líbia.

Os italianos não perdoavam o marechal ter evacuado a Tripolitânia, a joia de seu império colonial, e Hitler sentia que Rommel, tendo servido a sua finalidade, era agora um constrangimento. Foi secamente informado que "por motivos de doença" seria substituído no comando do 1º Exército Italiano, como o Panzerarmee Afrika passaria a se chamar, pelo general Giovanni Messe, que chegou em 2 de fevereiro.

Rommel mostrara intenção de passar o comando imediatamente, mas reconsiderou e decidiu permanecer no posto até que recebesse ordens diretas de entregá-lo. Escreveu à mulher: "Com a situação como está, pretendo manter-me aqui até o limite das minhas forças, mesmo contrariando os conselhos médicos". Ele contava que sua estrela voltaria ao ascende novamente após quase ter chegado ao nadir. Em 9 de fevereiro, decidiu-se a Operação Vento de Primavera, em que Rommel deveria desempenhar um papel secundário, atacando El Guettar no extremo sul da frente. O marechal Kesselring confidenciou-lhe, porém, que se tudo corresse bem nos ataques preliminares, ele poderia voltar a seu plano original.

Em 14 de fevereiro, iniciou-se a ofensiva alemã. As tropas comandadas por von Arnim conseguiram tomar o passo de Faid, destruindo 165 tanques e capturando 2 mil soldados americanos, e avançaram para o norte em direção à Sbeitla e Pinchon. Nesse meio tempo, Rommel atacou o aeródromo de Gafsa, que foi evacuado sem combate pelos americanos e avançou até Thelepte, a 60 km de Tebessa. Nestas circunstâncias, o Estado-Maior Alemão tardiamente apoiou o plano de Rommel.

Em 20 de fevereiro, Rommel franqueava o passo de Kasserine, pegando os Aliados de surpresa. Dois dias depois, eles haviam tido 4.100 soldados aprisionados, 235 tanques e 205 veículos outros capturados.

Mas a vitória não chegou a ser aproveitada. O reduto de elevações diante de Tebessa não pôde ser tomado, nem depois de cercado. A 6ª Divisão Blindada, a 1ª Brigada da Guarda Britânicas, e a 1ª Divisão Blindada Americana contra-atacaram, apoiadas por fortes esquadrilhas aéreas. A munição começou a escassear no 5º Exército Panzer, e informes davam conta do aumento de atividade de Montgomery, perante a Linha Mareth. O ataque perdera todo impulso e poderosos reforços aliados tornavam inútil seu prosseguimento.

Não obstante, a Batalha de Kasserine deu um susto nos comandantes aliados, pois as forças do Eixo ainda mostravam grande combatividade apesar das falhas de um planejamento desarticulado. Sintomaticamente, quando o ataque falhou, em grande parte por causa da falta de coesão do esforço germânico, chegou em 26 de fevereiro a notícia da nomeação de Rommel como comandante do novo Grupo de Exércitos África, com autoridade sobre os generais von Arnim e Messe. Não é de se espantar que o marechal houvesse perdido para sempre sua convicção na direção política da guerra. A nomeação não o comoveu, e ele reiterou sua opinião de que era preciso abandonar o norte da África. A ajuda recebida, além de ser insuficiente, viera tarde demais.

Confrontavam-se agora duas opiniões distintas. Rommel afirmava que era impossível manter uma cabeça de ponte de tal tamanho, e propunha um

Rommel e Bayerlein na Tripolitânia. Observe que o veículo de meia-lagarta à esquerda da foto é de fabricação norte-americana, tendo sido capturado pelos alemães. África, 1942.

recuo que a encurtasse em cerca de 500 km, enquanto seu superior, Kesselring, achava que não poderia dar cobertura aérea a uma área tão restrita e insistia em novas ofensivas que alargassem o espaço ocupado pelas forças alemãs, prometendo para breve tropas frescas, além de tanques pesados e possante artilharia.

Em conformidade com a opinião de seu superior hierárquico, Rommel voltou-se contra Montgomery nos arredores de Medenina em 6 de março, em um movimento esperado. Empenhava contingentes da 10ª e da 21ª Divisões Blindadas, a 15ª Divisão Panzer, e as 90ª e 164ª Divisões Ligeiras, agrupando quase todas as forças móveis disponíveis, apoiadas por unidades de artilharia do DAK e pela Divisão Blindada Ariete italiana. Mas o ataque falhou. Apesar da concentração de forças alemãs, a surpresa tática não fora alcançada, e o fogo inimigo lançado contra elas, aliado a possantes ataques aéreos, impediu qualquer penetração na posição fortificada de Montgomery. O ataque fracassou. Os alemães perderam cerca de 60 tanques a troco de nenhum êxito, quantidade que era maior do que se poderia suprir o grupo de exércitos no decorrer de três semanas.

Com o perigo de ver-se apanhado entre dois exércitos ofensivos, Rommel tornou a reiterar junto a Hitler e Mussolini a necessidade militar de se abandonar a África, mas os dois ditadores haviam resolvido lutar até o último cartucho, por razões de ordem política. Como consequência dessas assertivas, foi afastado de modo definitivo do comando e teve que partir para a Alemanha em 9 de março, por insistência de Mussolini, que nunca lhe perdoou a perda da Líbia.

A máquina de propaganda alemã fez questão de mostrar que seu afastamento da frente não fosse encarado como uma demissão desonrosa. O comunicado da Wehrmacht, de 11 de maio, com um mês de atraso dizia:

> Sob o ataque incessante do inimigo, numericamente bem superior, o marechal de campo trouxe seus homens de volta à Tunísia, num movimento evasivo de habilidade histórica. Como a saúde do marechal de campo continuasse a se deteriorar, o Führer decidiu, de acordo com os desejos do Duce, ordenar o seu retorno à Alemanha tão logo ele chegasse à posição de Gabes, para receber o tratamento urgente de que precisa para recompor a saúde.

O comunicado omitiu deliberadamente a presença de Rommel na Tunísia, e os movimentos ofensivos que lá liderou.

Em 11 de março, Rommel apresentou-se no Q-G do Führer. Por reconhecimento dos serviços que prestara no norte da África, recebeu das mãos de Hitler as Folhas de Carvalho com Espadas e Diamantes para a Cruz de Cavaleiro da Cruz de Ferro. O comunicado oficial era lacônico: "A saúde do marechal de campo está melhorando; quando ele estiver plenamente recuperado, o Führer o incumbirá de nova tarefa". Ninguém se ofendera e ninguém era culpado.

Na verdade, Hitler quis poupar seu ex-favorito da desgraça de uma rendição. Em meados de fevereiro, o marechal de campo Friedrich Paulus rendera-se aos russos em Stalingrado com todo o 6º Exército, e Hitler temia perder para o adversário outro marechal de campo em tão curto espaço de tempo. O nome do conquistador de Tobruk foi, então, poupado dos noticiários sobre o amargo fim da luta na África do norte. Sua lendária reputação não seria manchada com derrotas e sua aura de vitorioso seria preservada. O mito do grande ídolo possuía um enorme valor propagandístico no *front* doméstico. O próprio Führer reconheceu que "teria sido muito prejudicial para seu nome" permanecer na África do norte até a derrota final. Goebbels, ministro da Propaganda, registra em seu diário, a 10 de maio:

Hitler está guardando o nome de Rommel. Deseja poupá-lo para a próxima grande e difícil empreitada que surgir. Então, irá designá-lo para uma posição na qual uma liderança bem definida, porém com capacidade de improvisação, seja mais urgente.

A guerra na África acabou em 13 de maio de 1943. Cerca de 250 mil soldados foram feitos prisioneiros, entre eles 130 mil alemães. Hitler confessou a Rommel que deveria ter aceitado o seu conselho: "Mas acho que agora é tarde demais", disse. Palavras duras para o marechal ouvir.

O convalescente Rommel teve tempo suficiente para recordar sua atuação na África. Quando ele defendeu o reforço urgente para alcançar a vitória total, que estava tão próxima, o Alto-Comando recusou fornecer-lhe apoio logístico suficiente. Quando aconselhou cautela, pois a vantagem militar pendia para os Aliados, o mesmo Alto-Comando resolveu arriscar todo esforço de guerra na vã tentativa de evitar a derrota final. Anotou em seu diário:

> Faz dois anos que pisei solo africano. Dois anos de luta violenta, obstinada, a maior parte do tempo contra um inimigo muito mais forte. Neste dia, penso nos bravos soldados sob meu comando, que têm cumprido lealmente o dever para com seu país e depositado fé em minha liderança. Esforcei-me por cumprir meu dever, tanto em meu setor como pela causa como um todo.

Acabara a aventura africana.

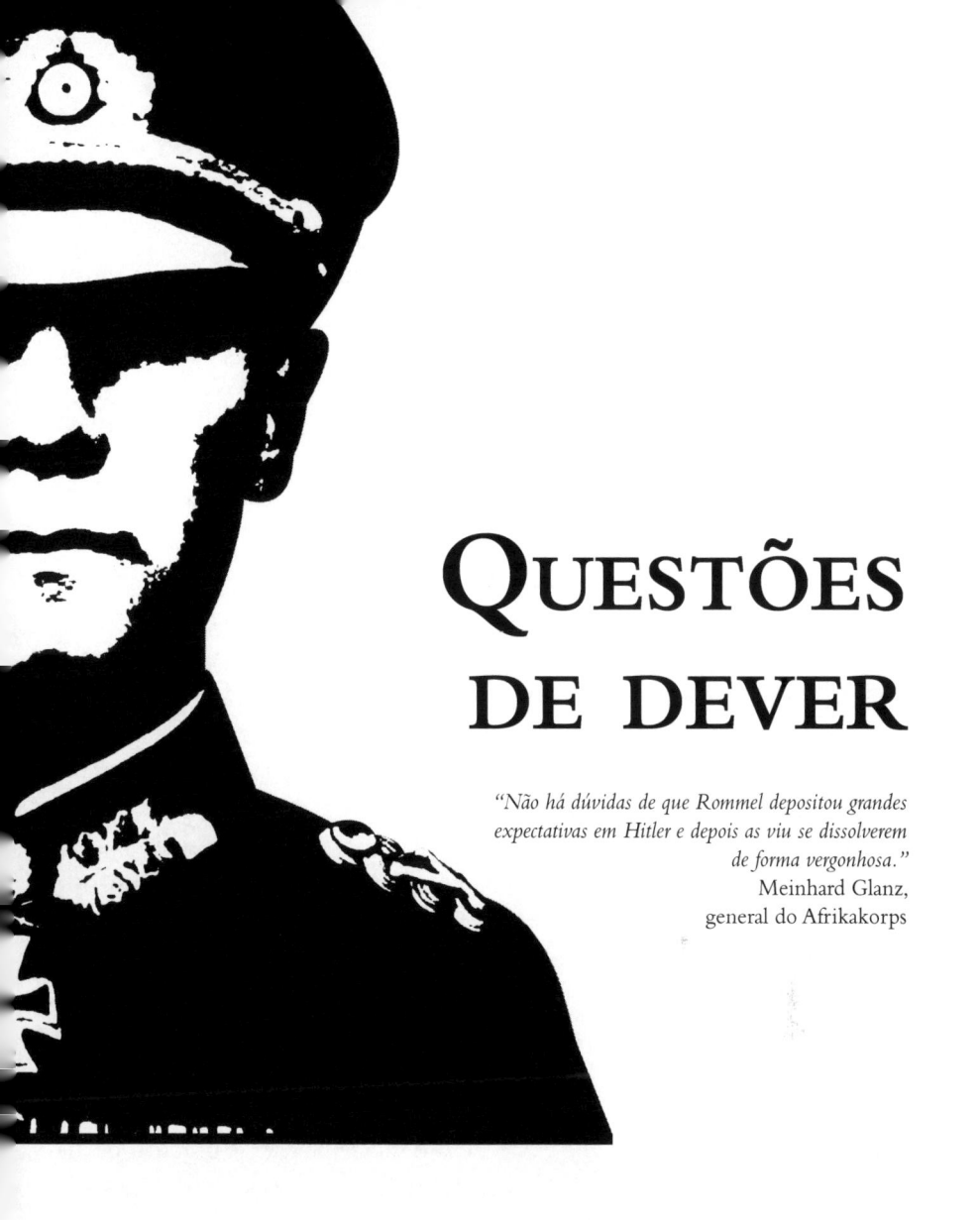

QUESTÕES DE DEVER

"Não há dúvidas de que Rommel depositou grandes expectativas em Hitler e depois as viu se dissolverem de forma vergonhosa."
Meinhard Glanz,
general do Afrikakorps

N a primavera de 1943, as relações de Hitler com Rommel ainda eram passáveis, apesar de o marechal ter posto em dúvida a estratégia de seu líder em várias ocasiões. Hitler ainda achava que podia confiar na integridade e na competência daquele soldado com quem imaginava ter tanto em comum. Mas o Führer não podia prever a mudança iminente.

A semelhança que julgava ter com seu comandante favorito se apoiava em fatos triviais. Ambos foram condecorados na Primeira Guerra e nenhum dos dois possuía origem aristocrática. Hitler não podia ignorar o desdém que o Alto-Comando nutria secretamente por ele, mas com Rommel era diferente. Ele jamais fez com que o Führer se sentisse inferior, e este agradecido e feliz, o recompensava.

Rommel, por seu lado, não esquecia o dever que assumira perante a pátria, que parecia ser o mesmo que para com seu Führer, embora passasse a duvidar da capacidade militar de Hitler e até mesmo de seu equilíbrio mental. O marechal estava cada vez mais inclinado a separar a pessoa de Hitler da verdadeira Alemanha, a desconsiderar a liderança política de seu país visando à sobrevivência do exército e do povo alemão.

Curiosamente, a primavera de 1943 foi o momento em que Goebbels, ministro da Propaganda do Reich, escolheu para registrar os sucessos da Wehrmacht, que sob a "liderança inspirada" de seu líder Adolf Hitler, se tornara dona do continente europeu. Uma série de perfis de generais vitoriosos, os heróis de Hitler, seria produzida, a fim de mostrar à nação alemã as façanhas do nacional-socialismo na guerra. O homem com quem as filmagens começaram era especialmente apto para o papel. Ele se parecia com o protótipo do soldado alemão, com cabelos loiros, olhos azuis e feições marcantes que simbolizavam o ideal do período. Erwin Rommel, o conquistador de Tobruk, o herói da África do norte, a "Raposa do Deserto", foi a escolha óbvia.

Rommel passou a ser conhecido como um herói invencível. Homem de ação, ele não se sentia muito confortável: "Enquanto a guerra segue, o marechal de campo é prisioneiro em seu próprio país", escreveu à mulher com um tom profundamente deprimido. Mas o dedicado soldado não era um simples prisioneiro no *front* doméstico: permitiu que o exibissem e o levassem a toda parte como um animal amestrado. Ele era vaidoso o suficiente para se orgulhar dessas honrarias, como bem o demonstra a carta que enviou à esposa logo após sua promoção, em que não assinou o nome e terminou com as seguintes palavras: "Seu marechal de campo".

Nem mesmo a derrota do Panzerarmee abalou o seu prestígio junto ao alemão comum. Uma campanha de propaganda centrada em Rommel foi lançada para consumo do *front* interno, abalado por sucessivas derrotas. Seus feitos militares foram equiparados aos de Blücher e Gneisenau, que propiciaram a vitória final prussiana sobre Napoleão em 1815; aos de Moltke, vencedor dos franceses na Guerra Franco-Prussiana de 1870-1871, e aos de Hindenburg, que aniquilou os russos na Batalha de Tannenberg, em 1914. O marechal viu-se apresentado como um super-homem e enaltecido como "um cometa em uma grande órbita". Sua personalidade foi transformada em um mito. Um diretor do Ministério da Propaganda tentou até mesmo vender sua derrota como uma vitória. "Vinte e sete meses de luta na África", este foi o título de uma entrevista no rádio em que era glorificada a luta heroica de Rommel contra um adversário muito superior. E o militar encenava o papel que lhe fora designado.

Em uma reportagem da revista semanal *Das Reich*, ele aparecia como oficial da SA, adepto da ideologia nacional-socialista que lhe fora explicada pelo próprio Führer. Não importava a verdade dos fatos. Rommel jamais fora da tropa de assalto e nunca integrou o partido. Mas ele podia personificar o que o regime considerava o perfil do general alemão ideal. Da mesma forma, aceitou a fantasia de que falava árabe fluentemente, apesar de não conhecer mais de cinquenta palavras desse idioma. A popularidade que gozava entre os árabes – advinda do fato destes odiarem os britânicos, vistos como conquistadores, e, portanto, saudarem os alemães como libertadores – foi transformada em uma virtude de sua personalidade forte.

Em sequência ao plano de Goebbels no Ministério da Propaganda, Rommel apresentou-se em maio de 1943 frente às câmeras de filmagem, para contar sobre suas experiências na guerra do deserto. Elogiou o feito heroico dos soldados alemães. Declarou que haviam massacrado o adversário em "ataques relâmpago" e travado energicamente uma "luta incessante" para alcançar o objetivo final, desafiando as forças da natureza, fossem elas uma tempestade de areia ou uma infestação de moscas, e por fim "jogando os britânicos na areia". Contou do calor, do sofrimento pela falta de água, das rações escassas e da superioridade do inimigo no que dizia respeito ao número de homens e à quantidade de armamentos. Nem uma palavra sequer sobre as derrotas sofridas, quer em El Alamein, quer na Tunísia.

Ele dizia sempre o que a liderança do regime queria ouvir. "Os soldados alemães superaram esse período difícil com êxito", eram suas palavras. Contava que haviam sofrido ataques incessantes e poderosos de um adversário empenhado em sua destruição, e em consequência sofreram "semanas duras que nos deixaram à beira da destruição". No entanto, mesmo na mais desesperadora situação, os resultados foram positivos. "E apesar de tudo, os soldados alemães puderam superar esses dias difíceis".

Seria Rommel um patriota fervoroso ou um ingênuo porta-voz da propaganda nacional-socialista, um fantoche impotente?

É necessário que se faça uma distinção entre o Rommel do verão de 1942 e o Rommel da primavera de 1943. O primeiro é o conquistador de Tobruk, o soldado que animava suas tropas com o lema "Rumo à vitória pelo Führer, pelo povo e pelo Reich"; o homem que apareceu na manchete de primeira página do *Hamburger Illustrierte* de 10 de outubro de 1942, protagonizando a cena em que o Führer oferecia a mão para o mais condecorado marechal de campo da Alemanha, sob a rubrica "Aperto de mão pela vitória certa". O general que, sem interrupção no terceiro ano de guerra, ocupava as cenas dos documentários com sua imagem radiante. Rommel envergando seu uniforme limpo e pomposo; Rommel triunfante diante dos britânicos; Rommel, o inspirado comandante, dando ordens às suas vitoriosas divisões e gesticulando de forma expansiva. Esse era um Rommel que, embora não fosse inteiramente real, não se afastava muito da verdade. Era o Rommel triunfante, o general que desde a queda da França em 1940 só acumulava vitórias. Encontrava-se no momento máximo de sua carreira e partilhava-o com uma Alemanha também triunfante.

Rommel da primavera de 1943, por outro lado, amargava derrotas pessoais, de ordem militar e de natureza política. Não contabilizara vitória alguma desde a conquista de Tobruk. A Primeira Batalha de El Alamein, a Batalha de Alam Halfa, a Segunda Batalha de El Alamein e a Batalha de Medenina foram flagrantes derrotas. E mesmo o sucesso inicial em Kasserine revelou-se uma vitória inútil. O Rommel ousado e mesmo temerário dos avanços imprevisíveis e dos ataques inesperados encontrava seu limite nas promessas vãs, nas concepções estratégicas equivocadas e nas ordens irreais vindas do Q-G do Führer.

A essa constatação de ordem estritamente militar, seguiu-se a inevitável conclusão de natureza política. Hitler não era o timoneiro que manejava um leme estável que levaria a Alemanha a um porto seguro. Ao contrário, ele não se mostrava à altura da tarefa exigida, falhando militarmente e no controle de suas emoções. Era sem dúvida uma grande decepção, ocorrida em um curto espaço de tempo, para quem se acostumara a endeusar seu Führer. Quanto mais pensava, mais Rommel concluía que Hitler era um líder para os tempos de vitória fácil, nunca para os tempos de derrota. Como a Alemanha enfrentava a derrota, que, se consumada, seria sinônimo de aniquilação, Rommel julgou ser seu dever, de acordo com sua formação como patriota e como soldado, contribuir para manter o espírito de combatividade do povo alemão. Para isso, dava-lhe um ídolo em quem se espelhar, enquanto procurava uma solução política alternativa para a liderança de sua pátria. O próprio Goebbels reconheceu, embora com outras intenções, que "nenhum outro general estava mais convencido do que Rommel a respeito da importância da propaganda para os esforços de guerra".

O coronel Erick Nolte, chefe do Estado-Maior do DAK, sintetizou bem a mudança que se processara em Rommel:

> Determinado em sua condenação do sistema imoral que traiu a si mesmo e aos outros, era a figura heroica de que o povo alemão necessitava como referência moral agora que a guerra estava perdida. Era o símbolo de uma Alemanha melhor, um homem gentil e humano, o último representante das guerras justas, um líder popular entre seus soldados, tão respeitado pelos adversários britânicos e norte-americanos quanto por seus próprios homens.

Em outras palavras, prestava-se a seu papel por questões de dever, ansiando para que o antigo dístico fosse substituído simplesmente por "Rumo à vitória pelo povo e pelo Reich".

A ITÁLIA MUDA DE LADO

Após sete semanas internado na clínica de Semmering, Rommel foi considerado apto e em bom estado de saúde. Recebeu, então, um novo comando em 3 de junho de 1943. Foi designado conselheiro militar, junto ao Q-G de Hitler num estado-maior especial denominado Sonnderstabes Rommel, vagamente destinado a ser usado na Itália.

Enviado a Atenas em 23 de julho, na qualidade de comandante em chefe do sudoeste, para prevenir um provável desembarque dos Aliados na Grécia, mal teve tempo de iniciar a inspeção de suas novas tropas. Foi chamado de volta pelo Führer dois dias depois. A situação na Itália agravara-se.

Ainda antes do término vitorioso da campanha da Tunísia, os Aliados haviam iniciado o planejamento para a invasão da ilha da Sicília. Tal decisão foi um triunfo da estratégia britânica, que, considerando a Itália "o ponto fraco do Eixo", a elegeu como o alvo ideal do esforço de guerra. Para os americanos, ao contrário, a prioridade era uma invasão da França através do canal da Mancha, sendo a conquista da Sicília apenas um arremate estratégico da campanha do norte da África, uma vez que reabriria a rota marítima do Mediterrâneo. Portanto, enquanto os americanos pretendiam parar por aí, os britânicos esperavam prosseguir.

A Operação Husky, como a invasão da Sicília foi chamada, converteu-se no maior ataque anfíbio desencadeado pelos Aliados durante a Segunda Guerra

Mundial. Cerca de 3 mil navios e barcaças tomaram parte no ataque, partindo de portos tão distantes como Suez, Túnis, Argel e mesmo da Escócia. O general Montgomery comandava o 8º Exército Britânico e o general George Smith Patton, o 7º Exército Americano. Previa-se um ataque concentrado no sudeste da ilha, com o desembarque de oito divisões na primeira leva, precedidas do lançamento de duas divisões de paraquedistas.

As forças do Eixo consistiam de duas divisões alemãs, a Panzer Herman Göring e a 15ª Panzergrenadiers, e o 6º Exército Italiano, com dez divisões de infantaria, em sua maioria tropas de segunda ou terceira categoria, encarregadas da defesa costeira.

Na noite de 10 de julho de 1943, em meio a uma forte tempestade que obrigou as divisões costeiras italianas a relaxar sua vigilância, as forças invasoras aproximaram-se sem serem detectadas. As tropas aliadas obtiveram surpresa completa e a maioria desembarcou sem encontrar oposição.

O plano previa que Montgomery se deslocasse a toda velocidade em direção ao estreito de Messina, distante 120 km das praias de desembarque, para impedir a retirada das tropas inimigas. Embora a cidade de Siracusa fosse tomada rapidamente, Montgomery foi retido por forças alemãs na planície de Catânia, sendo obrigado a efetuar lenta progressão.

O Exército Italiano entrou em colapso no terceiro dia de batalha, com suas divisões caindo em massa. As forças alemãs eram as únicas tropas que ainda resistiam aos Aliados. Reforçadas com paraquedistas, efetuaram uma batalha de retardamento eficaz, evacuando as tropas para a Itália continental "para combater em outro dia".

Entrementes, o 7º Exército Americano fazia progressos mais a oeste, ocupando Palermo em 22 de julho, e iniciando um avanço a toda velocidade ao longo da estrada da costa, rumo a Messina, onde entrou em 17 de agosto. A ilha fora tomada em 38 dias, e os Aliados encontravam-se agora, às portas do continente europeu.

Com a previsível derrota na Sicília, a posição de Mussolini ficara politicamente insustentável. Sua "guerra paralela" custara à Itália, além das perdas materiais e de soldados, a **África Oriental italiana** (Etiópia, Eritreia e Somália), a Líbia e agora também a Sicília. As cidades italianas sem distinção, Roma, Nápoles, Salerno, Benevento, Foggia, Livorno, Pisa, Bolonha, Milão, Turim, eram alvo de uma ofensiva aérea que já causara a morte de 30 mil pessoas. O país passava por uma grave crise de abastecimento e o povo encontrava-se cansado da guerra. O desempenho do 6º Exército na Sicília era prova cabal que o espírito de luta da Itália se esgotara.

Os conspiradores que desde novembro de 1942 tramavam contra Mussolini, encontraram novo alento nessas circunstâncias. O problema que a fórmula de rendição incondicional representava poderia ser superado com a negociação de um armistício, seguido de uma mudança de lado. De inimiga, a Itália passaria à condição de aliada dos britânicos e americanos.

Numa reunião extraordinária do Grande Conselho Fascista, que não se reunia desde o início da guerra, o Duce recebeu um claro voto de desconfiança. No dia seguinte, 25 de julho, o rei Vitor Emanuel III mandou prendê-lo, e passou a chefia do governo ao marechal Pietro Badoglio, um militar de 72 anos e inteiramente dedicado ao monarca. O primeiro ato do novo governo foi a publicação de uma declaração estabelecendo que a Itália continuaria a guerra ao lado da Alemanha. O regime fascista desabou como um castelo de cartas; não houve resistência em setor algum. Por toda parte o povo acorreu para as ruas gritando: *"Finito Mussolini. Finita La guerra!"*.

Ninguém levara a declaração de Badoglio a sério. Observando os acontecimentos ao sul dos Alpes, Hitler ficou subitamente apreensivo com a possibilidade de a Itália abandonar a guerra, o que poria em perigo todas as forças alemãs na península, que ainda se retraíam da Sicília.

Assim, Rommel foi chamado com urgência da Frente Grega para assumir o comando do Grupo de Exércitos B, nos arredores de Munique, na Baviera. O novo comando se encarregaria da responsabilidade pela defesa do norte da Itália, sob o pretexto de liberar forças italianas para serem utilizadas em reforço ao sul do país, mais diretamente ameaçado. O Grupo B assumiria a responsabilidade ao norte da Linha Elba-Ancona. Para completar a concentração de tropas, divisões alemãs foram retiradas de outros *fronts* e enviadas apressadamente de trem para o norte da Itália.

O marechal escreveu à esposa em 29 de julho: "Não é difícil ver o que se passa no espírito dos italianos, agora que já não são governados por Mussolini: querem passar-se para o outro lado com todos seus pertences. Mas não é provável que encontrem um caminho fácil". Enquanto a concentração de forças alemãs crescia até atingir oito divisões e as primeiras forças deslocavam-se para o sul a fim de assumirem o controle dos passos alpinos, Rommel participou de uma conferência no Q-G de Badoglio em Bolonha, a 15 de agosto, para discutir o envio de mais tropas alemãs à Itália.

A conferência só fez crescer as suspeitas do marechal. O general Roatta, chefe o Estado-Maior Italiano, não só não explicou a retirada das tropas de ocupação da França, nem as movimentações de forças italianas rumo ao norte da península, como se opôs vivamente a futuros deslocamentos de tropas alemãs na Itália, sob o argumento de que tal medida seria extremamente malquista pelos italianos. Rommel concluiu acertadamente que quanto mais cedo o Grupo de Exércitos B chegasse com força à Itália e assumisse o controle do país, melhor seria. Pois dessa forma, uma capitulação imediata do novo governo italiano traria sérias ameaças à sua segurança. Em consequência, as negociações secretas entre o governo italiano e os Aliados concentraram-se na coordenação de um grande ataque coincidente com o anúncio da rendição da Itália.

Em 3 de setembro, Montgomery esgueirou-se sorrateiramente através do estreito de Messina até Reggio, no extremo sul da península, e continuou subindo a região montanhosa que forma o pé da bota da Itália. Na noite de 8 de setembro, o general Eisenhower anunciou pela rádio de Argel a rendição da Itália. Como já era esperado, as negociações ítalo-aliadas haviam sido concluídas. O rei, Badoglio, e os demais membros do governo fugiram para o sul sem assegurar o controle de Roma. Na cidade, havia cinco divisões italianas contra duas incompletas divisões alemãs. Ainda assim, os germânicos em solo italiano conseguiram tomar o controle da situação, desarmando os antigos companheiros de armas e preparando-se para uma campanha defensiva.

Dando prosseguimento ao planejado, o 5º Exército Americano, sob o comando do general Mark Clark, desembarcou nas praias de Salerno em 9 de setembro. Esperava que sua tarefa seria facilitada com o anúncio do armistício. Ao contrário, enfrentou uma concentração de divisões alemãs comandadas por Kesselring, que passaram ao contra-ataque e por oito dias paralisaram o avanço americano. Ao final, com o 8º Exército aproximando-se, os alemães foram obrigados a bater em retirada. Em 1º de outubro, Foggia – com seus grandes aeródromos e o importante porto de Nápoles – caiu em mãos aliadas. Só em inícios de novembro, tanto o 8º Exército Britânico como o 5º Americano foram detidos pelas poderosas fortificações alemãs da Linha Gustav, bem ao sul de Roma, de onde não puderam avançar até meados de maio de 1944.

Mussolini foi resgatado em 12 de setembro do hotel que lhe servia de prisão no Gran Sasso. O capitão Otto Skorzeny das Waffen-ss realizou uma audaciosa fuga, conduzindo o Duce de avião até Munique. Retornando à Itália protegido pelas baionetas alemãs, Mussolini tornou-se o ineficaz líder fantoche da República de Saló. Embora algumas poucas divisões italianas continuassem a servir ao lado da Alemanha, o Estado criado com os remanescentes do antigo regime fascista não chegou a representar ameaça alguma aos Aliados.

Para todos os efeitos, a Alemanha perdera seu mais antigo aliado, e era obrigada agora a manter uma frente defensiva na Itália ocupada.

Gozando novamente de boa saúde, Rommel sentia falta da excitação da guerra do deserto, preferindo outro comando operacional. De qualquer forma, desincumbiu-se bem de suas funções. As cartas que escreve à esposa a partir de julho de 1943 trazem não só referências às suas atividades específicas, mas também preocupações com outros setores de operações, em especial o *front* russo.

Durante algum tempo, Hitler hesitou entre as concepções de Kesselring e de Rommel. O primeiro pensava ser possível manter uma frente mais ao sul, enquanto o segundo, receando a vulnerabilidade da península a desembarques anfíbios que poderiam facilmente flanquear as posições germânicas, propunha a adoção de uma linha defensiva apoiada na barreira montanhosa dos Apeninos, ao norte de Florença. Mas o sucesso de Kesselring em manter uma forte posição defensiva que deixava todo centro e norte da Itália em mãos alemãs foi fundamental para que Hitler criasse uma estrutura de comando unificado na península. Em 21 de novembro, Kesselring foi nomeado comandante supremo do teatro de operações italiano, e Rommel deixou a Itália.

A MURALHA DO ATLÂNTICO

Rommel recebeu o comando de um grupo de exércitos (missões especiais), diretamente subordinado ao Führer. Seus deveres eram inspecionar os arranjos defensivos da denominada Muralha do Atlântico, a linha de fortificações que cobria as áreas costeiras da Europa, estendendo-se pela Dinamarca, Holanda, Bélgica e França. Deveria sugerir melhoramentos e formular estudos para possíveis operações de contra-ataque contra forças inimigas, se e quando estas desembarcassem.

A inspeção começou pelo norte, na Dinamarca, em 29 de novembro, e completou-se no litoral francês no final de dezembro. O que encontrou deixo-o estarrecido. A grande Muralha do Atlântico, cuja solidez a máquina de propaganda alemã não deixava de exaltar, era uma farsa, um obstáculo facilmente superável.

Os portos principais estavam protegidos por baterias navais, e em alguns trechos do litoral encontravam-se baterias do exército. Mas enquanto os canhões navais eram protegidos com cúpulas de aço, os do exército estavam simplesmente plantados no terreno, sem proteção contra bombas ou projéteis. A linha de fortificações, em muitos locais, não dispunha sequer de abrigos de concreto. E

Os marechais von Rundstedt e Rommel em Paris. França, dezembro de 1943.

onde existiam tais abrigos, a laje de cobertura não ia além de 60 cm de espessura, tornando-os extremamente vulneráveis a bombardeios aéreos.

Até mesmo a precaução elementar de cercar os pontos fortes com campos de minas fora ignorada. Em três anos, apenas 1,7 milhão de minas foram colocadas no terreno – para se ter uma ideia, só na Normandia Rommel instalou 5 milhões de minas, e só no *front* de El Alamein, mais de 500 mil foram colocadas. Não havia minas submersas além do nível da maré baixa, e os obstáculos nas praias eram poucos e rudimentares, totalmente ineficientes contra tanques e nem mesmo adequados para deter a infantaria. A verdade era que nenhuma medida séria e planejada fora ainda executada no sentido de organizar a defesa, tornando-a capaz de deter uma invasão.

O potencial humano também era insuficiente. Cerca de 60 divisões encontravam-se no oeste para defender 4.800 km de frente, um número estrategicamente impossível. Trechos da costa considerados improváveis para um desembarque tinham sido deixados quase indefesos, para que fosse possível ter uma cobertura razoável nos trechos mais prováveis. E enquanto o equipamento, o treino e o moral das Divisões SS e Panzer eram excelentes, as formações de infantaria tinham tropas de baixa qualidade e estáticas para a defesa da costa. Muitas delas eram compostas por soldados demasiado jovens ou demasiado velhos, e outras tantas por **voluntários russos**, formados por armênios, georgianos e tártaros, cujo empenho pela causa nacional-socialista parecia bem duvidoso.

Se isso não bastasse, as divisões do oeste eram substituídas repetidamente por divisões que chegavam do *front* russo em péssimo estado até finais de 1943. Essas trocas contínuas prejudicavam a existência de um sistema adequado de defesa costeira, dada a pouca familiaridade das novas tropas ao terreno. Os exércitos alemães do oeste eram desprovidos de treino, de mobilidade e de instalações de radar essenciais, o que os tornava incapazes de deter um ataque determinado.

Rommel procurou alterar este quadro calamitoso, esboçando várias recomendações e críticas. Infelizmente, faltava-lhe liberdade de ação, pois, embora executasse instruções diretamente recebidas de Hitler, achava-se formalmente subordinado ao comandante em chefe do Oeste, marechal von Rundstedt. Não podia dar ordens diretas às tropas, mas apenas apresentar sugestões ao seu superior hierárquico ou ao Alto-Comando. Nessas circunstâncias, as críticas feitas ao estado das defesas poderiam ser interpretadas como críticas diretas a von Rundstedt. No entanto, as relações entre o aristocrático marechal e Rommel foram senão cordiais, de respeito mútuo.

No início de janeiro de 1944, Rommel recebeu o comando operacional que tanto desejara. O *front* ocidental adotou o dispositivo mais lógico, com von Rundstedt exercendo o comando supremo, sobre dois grupos de exércitos. O B, sob o comando de Rommel, cobria o setor mais crítico para a ocorrência de uma invasão. Abarcava o 15º Exército, desdobrando-se da fronteira holandesa até o rio Sena, e o 7º Exército, que cobria o espaço entre os rios Sena e Loire. Já o G, comandado pelo general Blaskowitz, tinha o 1º Exército no golfo de Biscaia e nos Pireneus e o 19º Exército, encarregado da costa mediterrânea.

Von Rundstedt, que não acreditava na possibilidade de se fortificar a Muralha do Atlântico a ponto de torná-la um real obstáculo a uma invasão, declarou à época: "Pessoalmente não vejo sentido algum em se tentar qualquer coisa com a Muralha do Atlântico. Mas caso Rommel julgue-se capaz de tal, é melhor deixá-lo prosseguir com seus planos".

Havia duas concepções diversas para a defesa contra a invasão aliada. A de von Rundstedt, que considerava a Muralha do Atlântico "uma ilusão alimentada pela propaganda, para enganar os alemães, tanto quanto os Aliados". Acreditava ser impossível impedir um desembarque com os efetivos disponíveis e desejava travar a batalha decisiva longe das praias. Apenas os portos-chave seriam fortemente defendidos, e uma vez que o inimigo penetrasse no interior do continente seria pego em vastas operações de tenazes pelas divisões Panzer concentradas, e destruído. Era um plano estratégico clássico, que contava com o apoio do general Geyr von Schweppenburg, comandante do Grupo Panzer Oeste, que tinha sob seu comando todas as forças blindadas disponíveis.

A outra concepção, de Rommel, defendia que a supremacia aérea dos Aliados impediria a locomoção das formações blindadas alemãs até o campo de batalha, anulando a capacidade das divisões Panzer de contra-atacar. E assim que as forças aliadas conquistassem uma cabeça de ponte, inevitavelmente partiriam para o ataque. Por isso insistia em que, se alguma forma havia de impedir a invasão, as forças atacantes deveriam ser contidas nas próprias praias. O plano era essencialmente uma repetição do que fora adotado na Segunda Batalha de El Alamein, que resistira firmemente, em enorme desvantagem, por um considerável período de tempo. Assim, as divisões blindadas deveriam ser posicionadas o mais próximo possível da costa, para rapidamente passarem ao contra-ataque quando os Aliados desembarcassem.

Hitler acabou sendo convencido por Rommel de que seria possível ter melhores resultados se a primeira linha de defesa fosse formada nas praias fortificadas. Mas seu plano para o emprego dos blindados foi profundamente alterado. Adotou-se uma solução de compromisso. Von Rundstedt abriu mão da sua reserva central, possibilitando a Rommel que espalhasse parte da força blindada ao longo da costa, mas a vários quilômetros de distância, com três divisões Panzer ao sul e quatro ao norte do rio Sena, deixando outras três para o Grupo de Exércitos G, no sul da França. As quatro divisões Panzer localizadas ao norte do Sena foram consideradas "reserva estratégica do Führer" e não poderiam ser empregadas sem sua autorização.

Tornou-se evidente que Hitler estava decidido, nessa altura da guerra, a conduzir pessoalmente a campanha de seu distante Q-G, independentemente da autoridade teórica que concedia a seus generais. Em 20 de março de 1944, proferiu o seguinte discurso para os comandantes do *front* ocidental:

> Se tivermos êxito em rechaçar a invasão, uma nova tentativa não poderá ser repetida em curto prazo. Nossas reservas, então, ficarão livres para serem empregadas na Frente Leste, que poderemos estabilizar, e talvez até retomar a ofensiva. Não podemos ganhar uma guerra estática no Oeste também, porque cada passo atrás significa um alargamento da linha de frente através de um trecho maior de território francês, e não dispomos de efetivos para guarnecê-la, nem de reservas estratégicas importantes. Assim sendo, o invasor deve ser rechaçado na primeira tentativa. Se não detivermos a invasão, e não empurrarmos o inimigo para o mar, a guerra estará perdida.

Rommel inspecionando a Muralha do Atlântico. França, janeiro de 1944.

A pergunta fundamental que se fazia era onde se daria a invasão. O Alto-Comando e von Rundstedt particularmente pensavam na zona do passo de Calais, pela facilidade de cobertura aérea. O marechal declarou: "Eu pensava que a invasão seria na parte mais estreita do canal, entre Le Havre e Calais. O estuário do Somme parecia ser a escolha mais óbvia, e era a rota mais curta para a Alemanha". Foi Hitler quem intuiu que o desembarque seria na Normandia, em princípios de fevereiro, opinião logo aceita por Rommel. Mas o Führer considerava que a Normandia seria um ataque de diversão, para drenar as reservas blindadas alemãs, e que o verdadeiro desembarque se daria na região de Calais, o que explica a sua intenção de manter uma concentração de divisões Panzer nos arredores de Paris.

Rommel, ao contrário, pensava ser a Normandia o principal alvo aliado. Empenhou-se, portanto em fortificar extensamente essa região, considerando que se os invasores ultrapassassem a faixa costeira seria extremamente difícil mandá-los de volta ao mar. "Nossa defesa será efetiva apenas na própria costa", declarou o marechal, concluindo que as armas mais adequadas para transformar as praias em uma zona de morte seriam as minas. "Quero minas antissoldados, antitanques e antiparaquedistas; quero minas contra navios e contra veículos terrestres". Elaborou um esquema para obstruir desde a zona costeira, com obstáculos submarinos, até as saídas das praias. Obstáculos de concreto e estacas minadas foram espalhados para danificar ou destruir os veículos de desembarque antes que alcançassem os campos de minas dispostos nas praias, onde novos obstáculos feitos de aço destruiriam os tanques que por acaso desembarcassem.

Para obstruir os assaltos aerotransportados, todas as áreas abertas localizadas a mais de 10 km da costa seriam semeadas de estacas contendo armadilhas explosivas. Além disso, as regiões baixas deveriam ser inundadas e os intervalos entre elas cobertos por campos minados. Rommel pretendia que as baterias pesadas da costa, imunes aos ataques aéreos, travassem combate com a força de invasão aliada ainda no mar. À medida que corressem para as praias, as vagas de tropas assaltantes se defrontariam com o fogo direto vindo de embasamentos de concreto para metralhadoras e canhões antitanque, e com o fogo indireto de morteiros e canhões pesados, situados a curta distância da costa. O marechal acreditava que os veículos que sobrevivessem a esta devastadora concentração de fogo e aos obstáculos submarinos seriam despedaçados pelas minas nas praias. As tropas que conseguissem, nessas circunstâncias, desembarcar, teriam que enfrentar outros campos minados, arame farpado, valetas antitanque e as rajadas expelidas pelos lança-chamas.

Imediatamente, atrás dessa barreira, Rommel propunha-se desdobrar divisões blindadas, de modo que pudessem descarregar seus canhões sobre as praias. Sustentava que era imprescindível que o máximo de força possível fosse empregado para se opor à invasão no próprio dia do desembarque. "As primeiras 24 horas serão decisivas", ele asseverava. O plano de Rommel nunca foi aplicado em sua totalidade. A causa mais profunda foi a incerteza quanto ao ponto de gravidade do ataque, aliada a futura sequência das operações anglo-americanas. Assim, nenhuma divisão Panzer foi posicionada junto à costa. A mais próxima, a

Deutsches Bundesarchiv

Os marechais Rommel e von Rundstedt estudam a disposição
das tropas no mapa. França, janeiro de 1944.

Rommel inspecionando o regimento de artilharia da 21ª Divisão Panzer.
Observe os canhões autopropulsados de 10,5 cm. França, maio de 1944.

21ª, totalmente reconstituída após o desastre da Tunísia, encontrava-se ao sul de Caen, a cerca de 35 km do litoral. A 2ª e a 116ª Divisões Panzer encontravam-se a leste do Sena, nos arredores de Paris, e a 12ª ss e a **Panzer Lehr** bem à retaguarda. Se o plano proposto por Rommel fosse seguido, deveriam cobrir a região entre os rios Orne e Vire nas proximidades do litoral e a região da Normandia, onde os desembarques ocorreram. Mesmo sem poder contar com a cobertura dos blindados, Rommel conseguiu realizar um prodigioso trabalho de fortificação nas zonas litorâneas. Goebbels registrou em seu diário em 17 de maio: "Embora trabalhasse há pouco tempo na Muralha do Atlântico, Rommel alcançou resultados consideráveis. Procedia de forma sistemática e com grande precisão".

Na correspondência familiar nota-se a preocupação de Rommel com sua tarefa. Em carta ao filho Manfred, de 21 de maio, escreve:

DISPOSITIVO DEFENSIVO ALEMÃO NA FRANÇA, JUNHO DE 1944.

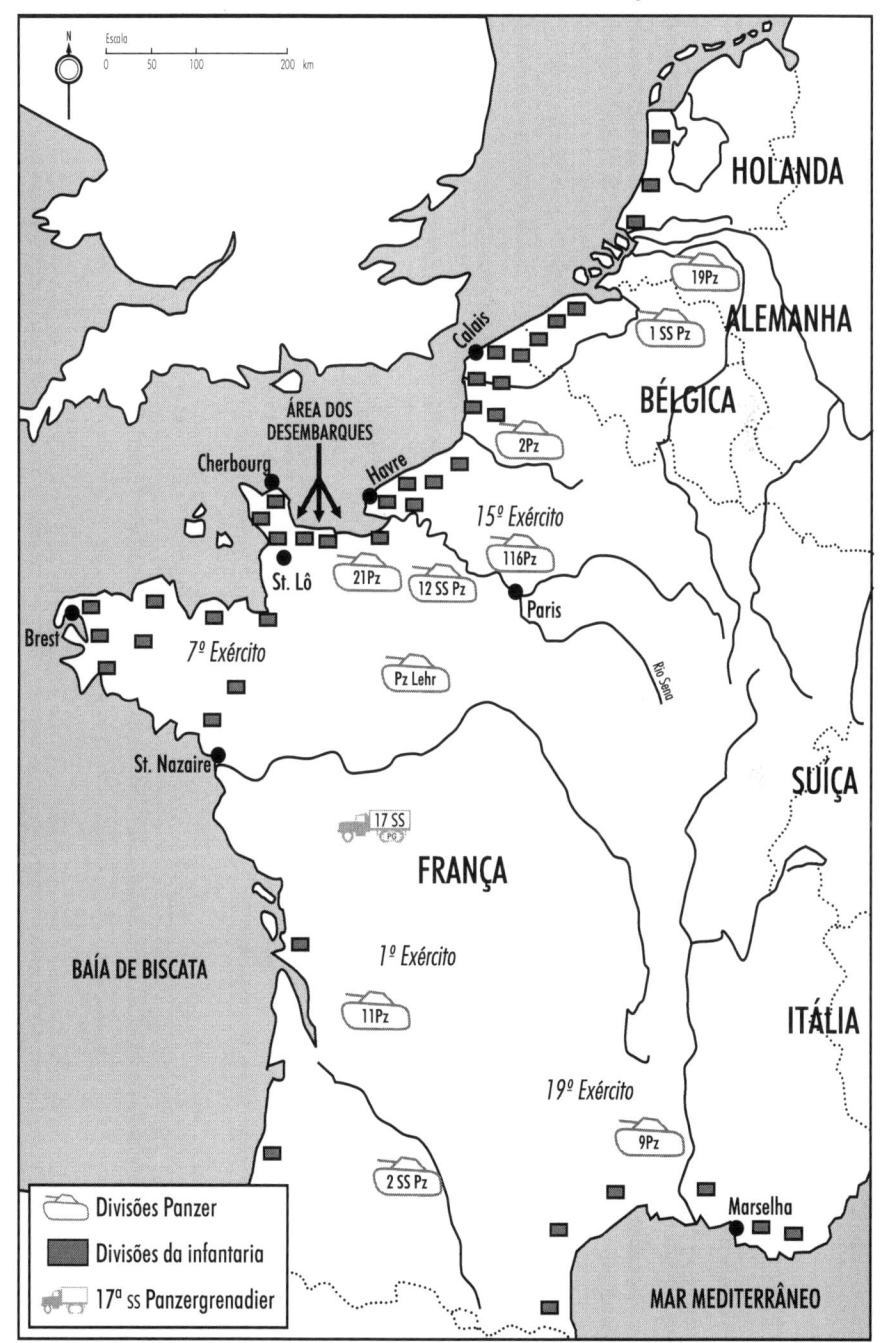

Estamos no meio de uma luta terrível, a batalha decisiva desta guerra. Nas últimas semanas e meses, conseguimos resultados extraordinários, embora não estejamos tão preparados quanto eu gostaria. Quero mais minas, obstáculos mais profundos na água, e quanto aos aviões quero mais fogo, armas antiaéreas, morteiros e lançadores de foguetes.

Afora essas preocupações de natureza militar, o marechal teve que encarar decisões de ordem política. Um Rommel cada vez mais desiludido com a postura irracional de Hitler e profundamente preocupado com o futuro de sua pátria, inteirou-se por meio de elementos militares das conspirações para destituir Hitler da chefia do governo. Em fevereiro de 1944, foi visitado pelo prefeito de Stuttgart, dr. Karl Strölin, seu velho companheiro de armas da Primeira Guerra. Em uma longa conversa, concordaram que Hitler deveria ser afastado do governo e julgado por um tribunal sob a acusação de querer destruir a Alemanha e seu povo. Rommel concordou também em emprestar seu nome ao movimento, em razão da sua popularidade, a fim de impedir uma guerra civil. Nenhuma palavra lhe foi dita acerca do atentado que se tramava contra o Führer.

Rommel passou então a se empenhar na ideia de que, uma vez repelida a invasão da França, os anglo-americanos aceitariam celebrar um armistício com uma Alemanha renovada a fim de combaterem o inimigo comum, o bolchevismo. Em entendimentos com os generais Speidel e von Stülpnagel, chegaram mesmo a rascunhar um pedido de armistício a ser apresentado aos Aliados.

A INVASÃO

Na noite de 5 de junho de 1944, transmissões de versos cifrados foram feitas pela British Broadcasting Corporation (BBC) de Londres, dirigidas aos membros da Resistência, o movimento subterrâneo francês. Davam ordens para que se executassem várias missões de sabotagem, principalmente contra as linhas de transporte e comunicação alemãs. Também anunciavam que a invasão era iminente. O serviço de contraespionagem alemão havia decifrado o código secreto aliado e prontamente passou a informação à **inteligência militar** do Comando Supremo do Oeste. Mas, para a maioria dos oficiais de estado-maior, parecia inverossímil que o general Eisenhower fosse encarregar a BBC de anunciar o desembarque, e principalmente em uma situação em que os boletins meteorológicos previam mau tempo na área do Canal. Suspeitou-se de uma armadilha. Portanto, nenhuma providência foi tomada para alertar as defesas alemãs. Em consequência, Rommel, comandante do Grupo de Exércitos B, ausentou-se da Normandia para comemorar o aniversário da esposa; o coronel-general Friedrich Dollmann, comandante do 7º Exército, manteve sua rotina de trabalho inalterada; e o tenente-general Erich Marcks, comandante do 84º Corpo, que deveria suportar o peso do ataque aliado, partiu para uma conferência de comando em Rennes. Esse foi um erro que custou caro aos alemães.

Pouco depois da meia-noite, várias centenas de bombardeiros aliados lançaram um tapete de bombas contínuo sobre as defesas costeiras alemãs, enquanto os aviões de transporte lançavam os paraquedistas das 101ª e 82ª Divisões Aerotransportadas Americanas e da 6ª Divisão Aerotransportada Britânica, apoiadas por centenas de planadores, para garantir os dois flancos da cabeça de ponte.

Ao alvorecer do dia 6 de junho, o Dia D, a enorme esquadra de 5.134 embarcações, incluindo 4 mil lanchas de desembarque, abriu fogo de barragem contra as posições alemãs. A frota alcançou o litoral da Normandia despercebida pelas estações de radar entre Calais, Havre e Cherburgo por causa de medidas de interferência nas transmissões. Protegido por essa barragem dos canhões navais e sob o impacto de uma força de 3.400 bombardeiros e 5.400 aviões de caça, que garantiam aos Aliados um domínio absoluto dos céus, teve início o desembarque das forças terrestres.

A invasão deu-se com a maré baixa, expondo as tropas a percorrer uma maior faixa de praia, mas livrando os veículos de desembarque dos obstáculos submersos dispostos por Rommel. O 2º Exército Britânico desembarcou entre o rio Orne e a cidade de Bayeux, com as 3ª e 50ª Divisões Britânicas e a 3ª Canadense, no setor defendido pela 716ª Divisão de Fortificação. Os americanos desembarcaram o 1º Exército, com as 1ª e 29ª Divisões, no setor da 352ª Divisão de Infantaria Alemã, entre Bayeux e o rio Vire, e com a 4ª Divisão na península de Cherburgo, na zona da 709ª Divisão de Guarnição.

Ao cair da noite de 6 de junho, 156 mil soldados aliados já haviam desembarcado na Normandia e outros 3 milhões de homens apoiados por cerca de 4 mil blindados concentravam-se nos portos do sul da Grã-Bretanha. Os britânicos ocupavam uma cabeça de ponte de 30 km de extensão por 6 km de profundidade. Assim, os americanos obtiveram sucesso nos seus dois pontos de desembarque. O custo em vidas da operação foi de 11 mil homens, a maior parte causada por baixas americanas na praia conhecida como "sangrenta **Omaha**". O território entre as cabeças de ponte britânica e americana ainda estava em mãos alemãs e as penetrações ofensivas mais perigosas tinham sido anuladas, mas ao custo do empenho de todas as parcas reservas e não havia mais tropas disponíveis.

Sem poder contar com reservas concentradas por trás das estreitas defesas, e sem artilharia pesada para enfrentar os esquadrões navais de bombardeio, não havia esperança. A única formação blindada que se encontrava perto da costa, a 21ª Panzer, recebera ordens na manhã do dia 6 de suprimir um desembarque de paraquedistas a leste do Orne, para em seguida, no final da manhã, receber novas ordens de dirigir-se às praias. "Ordem, contraordem, desordem", é velho ditado militar. Tempo precioso fora desperdiçado. Já próxima ao litoral, a divisão foi obrigada a recuar para não ser cercada. A oportunidade de esmagar a invasão aliada ainda nas praias fora perdida e a Muralha do Atlântico rompida.

A reação do Alto-Comando alemão foi lenta. O marechal von Rundstedt alertou no início da manhã as divisões Panzer Lehr e 12ª SS, mas não as podia mover sem autorização de Hitler, que só se levantava às três horas da tarde. De qualquer forma, pensava-se no Q-G que ainda era prematuro saber se o desembarque na Normandia era o desembarque principal. Só no final da tarde do dia 6 é que o Führer deu ordem de marcha às duas divisões blindadas, mas recusou-se a permitir o emprego de tropas de reforço, argumentando que tudo não passava de uma tática para desviar a atenção da "verdadeira" invasão que ocorreria em outro lugar.

E onde estava Rommel?

Pela segunda vez em sua carreira, e quando era mais necessário, o marechal não se encontrava no *front*. Em 1942, quando as tropas britânicas comandadas por Montgomery romperam as posições defensivas alemãs na Segunda Batalha de El Alamein, Rommel estava em casa, cumprindo uma licença de duas semanas por motivos de saúde. Agora, se encontrava de novo em casa, comemorando o aniversário de sua esposa. Alertado da invasão por seu chefe de estado-maior, general Hans Speidel, retornou às pressas, mas o "mais longo dos dias" já terminara. Os dias e as semanas que se seguiram definiram não só o destino do Reich, mas a sorte do próprio Rommel. De forma acentuada, o marechal personificava o dilema que se empunha aos militares alemães do alto escalão.

Como Rommel previra, a força aérea aliada interditou a área de batalha, destruindo as pontes sobre o Loire e o Sena, paralisando todos os deslocamentos diurnos e dificultando os noturnos, retardando enormemente a concentração das forças blindadas. Nessas circunstâncias, não é de se admirar que o contra-ataque do dia 9, feito pelas três divisões Panzer, a 21ª, a 12ª SS e a Lehr, tenha fracassado, e as divisões tiveram que ser dissipadas no esforço de preencher brechas na linha de defesa. Instalados no continente numa cabeça de ponte contínua que alcançava 15 km de profundidade, os Aliados tomaram a iniciativa do combate. Os alemães já não mais atacavam em direção da costa para repeli-los, passaram a lutar para defender-se. O Q-G do Grupo Panzer do Oeste foi destruído por bombardeios aéreos dia 10, os britânicos avançaram em direção de Villers-Bocage três dias depois, apertando o cerco contra Caen. O grande porto de Cherburgo foi cercado pelos americanos no dia 19 de junho.

Em 17 de junho, por insistência de von Rundstedt e de Rommel, Hitler foi à França para uma conferência em Soissons. Os dois marechais expuseram-lhe que embora as localidades de Caen e Saint-Lô, os dois pivôs da posição defensiva na Normandia, ainda se mantinham, era óbvio que não podiam continuar sendo defendidas por muito tempo, dado o volume das forças inimigas. Foram unânimes em sugerir que o único modo de salvar a situação era efetuar uma retirada para a linha do Orne, onde as divisões de infantaria formariam nova frente atrás da qual as forças blindadas seriam reorganizadas, a fim de ser empregadas em vigoroso contra-ataque no flanco americano na península de Cherburgo. Também insistiram que a nova **arma V** fosse utilizada contra as praias da invasão, ou contra os portos de embarque de tropas, no sul da Grã-Bretanha. Hitler negou ambas as ponderações. Não haveria retirada alguma e as novas armas continuariam concentradas sobre Londres "de modo a converter a Inglaterra à paz". Rommel instou para que a guerra fosse conduzida a um término, mas Hitler interrompeu-o dizendo: "Não se preocupe com esse problema; cuide da invasão na sua frente".

Tanto von Rundstedt como Rommel, convencidos da inutilidade do prosseguimento da luta em vista da esmagadora superioridade do inimigo e da visível incapacidade de Hitler de compreender a situação, decidiram apresentar-lhe claramente seus pontos de vista sobre a situação desesperadora que o exército enfrentava. Dirigiram-se a seu Q-G na última semana de junho, e viram-se novamente frustrados em suas esperanças de fazê-lo compreender a realidade. Hitler os manteve esperando por várias horas e depois se comportou como se o objetivo da reunião fosse dar-lhes uma injeção de ânimo, e ao final advertiu-os para que "continuassem defendendo sua posição de qualquer maneira". Rommel ainda perguntou ao Führer como ele esperava vencer a guerra, ouvindo um rude "ocupe-se de seus próprios problemas", como resposta. Ao final da reunião fez uma última tentativa. Disse que não poderia partir sem falar com Hitler sobre a Alemanha. Hitler mostrou-lhe a porta. "Creio que é melhor sair da sala, senhor marechal de campo". Esse foi o último encontro entre o Führer e seu "general preferido".

Como resultado das flagrantes discordâncias, os dois marechais esperavam ser removidos de seus cargos, mas apenas von Rundstedt foi afastado. A razão aparente foi uma conversa telefônica com o comandante em chefe das Forças Armadas, marechal Keitel. Indagado em tom lamurioso por seu superior: "Que faremos?", von Rundstedt respondeu impassível: "O que fazer? Façam a paz, idiotas! Que mais lhes resta?".

O novo comandante em chefe do Oeste, o marechal Günther von Kluge, era um soldado robusto e agressivo que de início mostrou-se animado e confiante, chegando a advertir Rommel, conhecido no estado-maior pela independência e pelas decisões pouco convencionais: "A partir de agora, até o senhor precisa se acostumar a cumprir ordens". Bastaram menos de duas semanas para transformar o marechal em um cético quanto às possibilidades de vitória.

Em vista da situação, Rommel resolvera agir. "Sinto-me responsável pelo povo alemão. Irei me empenhar na exploração de minha boa reputação com os Aliados para concluir um armistício. Se necessário, contra a vontade de Hitler", foram suas palavras para o general Speidel, seu chefe de estado-maior. Se Hitler não agisse da maneira desejada: "Neste caso, abrirei o *front* ocidental para os Aliados, pois há apenas uma decisão importante a ser tomada: precisamos nos assegurar de que britânicos e norte-americanos cheguem a Berlim antes dos russos".

Consultou vários de seus generais em busca de apoio para seu plano, inclusive Sepp Dietrich, comandante do 1º Corpo Panzer ss, um dos mais fanáticos

Erwin Rommel na França, 1942. Observe a *Pour le Mérite* parcialmente encoberta pela Cruz de Ferro.

seguidores de Hitler, a quem perguntou: "Você continuaria seguindo minhas ordens se elas fossem de encontro às do Führer?". Ouviu a reconfortante resposta: "O senhor é o meu comandante em chefe. Obedeço apenas ao senhor, sejam quais forem as ordens".

Em vista do suporte recebido e do agravamento da situação na frente de batalha, entregou em 15 de julho um documento a seu superior hierárquico, von Kluge, que pode ser descrito como um ultimato a Hitler, no qual expunha a situação sem meias palavras:

> Temos que esperar que, num futuro próximo, o inimigo conseguirá penetrar nossa tênue frente, [...] e adentrar profundamente a França. Os soldados, por toda parte, estão lutando heroicamente, mas a luta, por muito desigual, aproxima-se do fim. É urgentemente necessário que se tirem as adequadas conclusões políticas da situação. Como comandante em chefe do Grupo de Exércitos, sinto-me obrigado, por questão de dever, a falar claramente sobre este ponto.

Von Kluge estava preparado para endossar o relatório de Rommel e enviá-lo ao ditador, mas foi impedido pelos acontecimentos.

Na tarde de 17 de junho, quando voltava de uma inspeção ao Grupo Panzer Oeste, Rommel teve seu carro de comando atacado por caças britânicos e foi gravemente ferido. Recolhido a um hospital de campo nas vizinhanças de Paris, enquanto recuperava-se, soube do atentado contra Hitler de 20 de julho. Foi transferido para sua casa em Herrlingen, em 8 de agosto, para completar a recuperação, enquanto o *front* ocidental entrava em colapso. O 7º Exército e o Grupo Panzer do Oeste foram cercados em Argentan-Falaise, e Paris foi libertada em 25 de agosto. A luta pela posse da Normandia custara aos alemães meio milhão de soldados.

E o homem que poderia tê-la evitado estava sob vigilância policial, sob suspeita de participação no atentado de 20 de julho. Na verdade, a razão que levou Hitler a parar de favorecer seu general predileto foi de outra natureza. Ele disse em 25 de agosto ao general Hans Krebs, o novo chefe do estado-maior do Grupo de Exércitos B, que Rommel havia "feito a pior coisa que um soldado poderia fazer em uma situação como essa: buscar uma saída que não fosse por vias militares". Em 7 de outubro, Rommel recusou-se a se apresentar em Berlim alegando problemas de saúde. Ciente do que o aguardava, confidenciou: "Jamais chegaria lá vivo".

No dia 14 de outubro, recebeu a visita formal de dois generais que lhe deram uma opção: ou enfrentaria a desonra de ser submetido a um tribunal popular ou cometeria suicídio. Escolheu a segunda opção, principalmente para poupar a família de ser enviada a um campo de concentração.

Completara-se a grande farsa. O marechal de campo mais popular da Alemanha morrera no cumprimento das suas funções, em defesa da pátria. Morrera por questões de dever.

O HOMEM E O MITO

"Virtudes secundárias, como a obediência, coragem e disciplina, são admiráveis, contanto que estejam a serviço da virtude primária: amor à verdade. Mas se servirem apenas ao Führer e a esse estranho conceito de pátria, tornam-se vícios."
Manfred Rommel, filho do marechal

O marechal Erwin Rommel é, sem dúvida, o militar alemão mais conhecido da Segunda Guerra Mundial. Tanto pelos alemães como pelos seus adversários, britânicos e norte-americanos. Tal fato deve-se menos à maciça campanha que o Ministério da Propaganda alemão deflagrou em torno de seu nome e mais à sua atuação na frente de batalha, em especial no norte da África. A campanha foi dirigida para o *front* interno, destinada a sustentar o moral do povo alemão, e seu empenho em prosseguir em uma guerra cujo potencial de destruição não tinha precedentes. Já a fama advinda da ação do marechal foi fruto de sua liderança e capacidade tática, que lhe valeram o reconhecimento, senão a admiração, por parte de seus opositores.

Muito se tem escrito sobre os defeitos e as virtudes dos grandes guerreiros. Todo grande general tem suas deficiências, e Rommel não era exceção. Mas as qualidades que ele reunia e os grandes feitos que realizou o distinguem como um dos "grandes capitães" da história.

Jamais lhe faltou coragem, tanto física como moral. Revivendo o estilo dos antigos capitães de outrora, Rommel mostrou, pelo exemplo pessoal, o que esperava dos homens sob seu comando. O efeito de seu exemplo sobre o moral de seus soldados foi imensurável, do mesmo modo que, por sua coragem e capacidade de improvisação, tirando sempre o melhor da pior situação bélica, fazia vacilar o moral das tropas inimigas. Por uma combinação de circunstâncias, a personalidade de Rommel acabou adquirindo proporções superiores às normais, sendo transformada em lenda pela mitificação de seus feitos na África. Mas ele foi um general cuja conduta na guerra apenas corroborava quaisquer das afirmações feitas em seu favor.

Rommel alistara-se no exército para cumprir uma tarefa. E sempre se mostrou disposto a dizer o que pensava, quando achava que tinha algo de importante para ser dito. No começo de sua carreira, isto significava apenas franqueza a respeito de assuntos militares, pois esta era sua área única de interesse. À medida que seus horizontes se alargavam, porém, sua maneira franca e direta inevitavelmente o colocaram em conflito com a autoridade política que dirigia seu país.

Evoluindo da discordância sobre aspectos militares para a constatação da absoluta impossibilidade de continuar submetendo-se a uma liderança política que negava tudo aquilo em que acreditava, Rommel optou pelo rompimento com o Führer, a quem devia tanto e a quem sempre servira lealmente.

Esse foi o dilema que o atormentou durante seu último ano de vida, que dá testemunho tanto de sua coragem moral como de sua tragédia.

A partir de 1941, os nomes de todos os outros generais alemães foram eclipsados pelo de Erwin Rommel. Os postos de coronel a marechal de campo foram alcançados de forma surpreendente. Era um estranho, num duplo sentido, uma vez que não era considerado qualificado para ocupar altas posições na hierarquia do estado-maior, e atuava em um teatro de guerra fora da Europa, considerado secundário. Sua fama rapidamente forjou-se não só pelos seus inegáveis méritos, mas também por escolha de Hitler, desejoso de aplacar a ânsia do grande público por empolgantes figuras militares em tempo de guerra. Tornou-se o "general preferido" do Führer.

Pela atuação na Primeira Guerra Mundial, recebeu a importante condecoração *Pour Le Mérite*. Depois disso, como vimos, sua carreira militar ficou paralisada por 15 anos, não alcançando senão o posto de major. Era constantemente preterido por razões de tradição familiar ou antiguidade. Considerando-se um soldado, não um político, acalentava o desejo de lutar em qualquer guerra futura. Ao analisar as causas de algumas derrotas militares, concluía ironicamente que o exército, com sua arcaica estrutura dominada pela aristocracia, não se encontrava preparado para uma guerra moderna.

Quando Hitler subiu ao poder em 1933, Rommel sentiu que uma mudança positiva se realizara. Fiel a sua condição de soldado apolítico, nunca entrou para o Partido Nacional-Socialista ou para qualquer uma de suas ramificações, embora considerasse positivo o fato de o chanceler não ignorar a elite militar. Assim como muitos outros oficiais, apreciava um regime que parecia valorizar virtudes militares, como obediência, disciplina e ordem. Se o objetivo era pôr fim ao isolamento internacional da Alemanha, restituir o orgulho de se sentir alemão, que patriota se oporia a tais intenções? Se o exército estava se modernizando e se fortalecendo, qual era a objeção que um soldado profissional como Rommel poderia ter?

Parecia haver, nos anos iniciais do regime, uma completa identificação entre os interesses do novo chanceler e os dos militares. Assim, teve início a aproximação entre os dois homens, robustecida pela edição em 1935, do livro escrito por Rommel, que trazia as lições que aprendera na guerra, *A infantaria ataca*. Hitler foi um dos seus leitores. Disse que o livro o fez lembrar a época "mais feliz" de sua vida, e confessou que muitas das passagens correspondiam às suas próprias experiências na Primeira Guerra.

No início de 1938, Rommel conseguiu ser nomeado comandante da guarda pessoal do Führer, e testemunhou o entusiasmo popular por sua pessoa. É nessa época que se dá a completa rendição de Rommel ao canto de sereia de Hitler. "Ele irradia um poder magnético, quase hipnótico", escreveu ele à esposa, acrescentando: "Foi enviado por Deus ou pela Providência para levar o povo alemão à luz". Era uma relação de benefício mútuo. Quando Hitler precisou nomear um novo comandante para a Escola de Guerra de Wiener Neustadt, que deveria incutir na nova geração de oficiais ideias modernas sobre uma forma flexível, rápida e móvel de guerra, o escolhido foi Rommel.

Foi a invasão da Polônia que deu o impulso decisivo à carreira de Rommel. Quando a guerra irrompeu, ele foi nomeado comandante do Q-G de Hitler e promovido a general de brigada. No desempenho de suas novas funções ele estava constantemente no campo de visão de Hitler, assistindo às conferências de guerra e, em determinadas ocasiões, contribuindo para as discussões, o que era sem dúvida, o ápice do reconhecimento.

Hitler teve que interferir pessoalmente junto ao departamento de pessoal do exército para que Rommel fosse designado para o comando de uma divisão Panzer, em janeiro de 1940. O que parecia uma temeridade, dado sua experiência como oficial de infantaria sem preparo para dirigir formações de blindados, foi uma das mais acertadas decisões já tomadas.

No comando da 7ª Divisão Panzer, combinou rapidez, mobilidade e surpresa tática com um novo estilo de liderar sempre à frente, que fez com que sua unidade fosse conhecida como a "divisão fantasma", dando uma importante contribuição para a vitória alemã sobre a França.

Novamente, foi por uma escolha pessoal de Hitler que Rommel foi encarregado de auxiliar os italianos no norte da África. Lá fez história e criou o mito.

Descrito inicialmente pelo serviço de informações britânico como um "obscuro general", em março de 1941, Rommel chegou ao norte da África e não se deixou abater pela situação desastrosa que lá encontrou: os remanescentes de um exército italiano destruído que se retirava diante da pressão britânica. Sem perda de tempo, desencadeou uma ofensiva com os primeiros contingentes desembarcados de seu Corpo de Exército.

Ainda possuía pouca experiência com blindados, mas tinha um formidável senso de mobilidade e instinto para explorar a surpresa. Apanhou os britânicos espalhados em pequenos grupos e com a maioria de seus tanques necessitando de reparos. A rapidez com que investiu, assim como as enormes nuvens de poeira artificialmente levantadas, deram uma ideia enganosa de seu poderio. Os britânicos foram varridos imediatamente da Cirenaica para a fronteira egípcia. Os três generais britânicos mais importantes do comando da guerra no deserto foram capturados. Goebbels anotou em seu diário, em 20 de dezembro de 1941: "Os jornais britânicos estão fazendo muitos elogios ao general Rommel. Este é um sinal de que eles estão se sentindo desconfortáveis, pois só se louva o inimigo quando se está perdendo. Assim, eles conseguem justificar a derrota".

Nos 18 meses que se seguiram, a fama de Rommel cresceu continuamente, dada a forma como desbaratava sucessivas ofensivas britânicas e, sobretudo, graças às suas espantosas reações sempre que seu aniquilamento era prematuramente anunciado. Com o passar do tempo, as tropas britânicas chegaram a ter Rommel num conceito muito mais elevado que os seus próprios comandantes, seguidamente derrotados e substituídos. Sua atuação como um autêntico "boneco de caixa de surpresas" estimulou-lhes tanto o senso de humor que sua admiração quase foi transformada em afeição. Tornara-se o herói das tropas britânicas, e o grau de respeito que tinham por ele se evidenciava na maneira como era usada a expressão "um Rommel", como sinônimo de um brilhante desempenho de qualquer natureza.

Rommel atingiu o ápice de sua carreira durante o verão de 1942, quando derrotou os britânicos na Linha de Gazala, tomou o porto de Tobruk e em seguida perseguiu seus remanescentes pelo deserto até as margens do delta do Nilo.

A característica mais notável das vitórias de Rommel é que foram obtidas com inferioridade flagrante de forças e com um exército eternamente às voltas com escassez de suprimentos, especialmente combustível. Nenhum outro general de ambos os lados foi vitorioso em tais condições. É evidente que Rommel cometeu erros, mas quando se enfrenta forças superiores qualquer erro pode redundar em derrota, ao passo que vários erros seguidos podem ser compensados quando se conta com grande vantagem numérica.

Como comandante, era considerado um general acessível e que sempre levava seus homens ao limite. Um fato serve de exemplo lapidar. No verão de 1941, vendo uma unidade motorizada parada durante um ataque, voou com seu avião de reconhecimento sobre os soldados que descansavam e jogou-lhes um bilhete. "Se vocês não começarem a dirigir imediatamente, descerei até aí! Rommel". A história logo passou a circular entre os soldados, popularizando-se.

O defeito mais notório de Rommel era sua tendência a descuidar das questões administrativas da estratégia. Os membros de seu estado-maior, porém, afirmam que isso foi corrigido com a maior experiência adquirida. Mais grave era sua relutância em delegar autoridade, o que causava muita irritação em seus comandantes subordinados. Não só procurava desempenhar todas as tarefas sem receber ajuda, como também buscava estar presente em toda parte. Dessa forma, era frequente que perdesse o contato com seu Q-G ao vagar pelo campo de batalha. E às vezes, necessitavam dele para tomar qualquer decisão importante. Mas essa falha era amplamente compensada pelo maravilhoso dom que Rommel tinha de aparecer em um ponto vital e dar pessoalmente, por força de sua liderança, um impulso decisivo à ação no momento crucial. Proporcionava, ainda, oportunidades a seus oficiais mais dinâmicos para demonstrar valor e espírito de iniciativa, em uma escala jamais sonhada pelos generais mais antigos. Como consequência, era adorado pelos jovens oficiais, sentimento que era compartilhado por muitos soldados italianos, que viam nele um completo contraste com seus próprios cautelosos e temerosos comandantes. O dito comum no exército "Onde quer que Rommel se encontre, lá estará o *front*", lhe fazia ampla justiça.

Em 1942, discursando na Câmara dos Comuns, o primeiro-ministro britânico Winston Churchill, que nunca foi dado a elogios, disse: "Temos pela frente um adversário arrojado, hábil e, permitam-se o termo, um grande general". E o comandante em chefe britânico das forças do Oriente Médio foi enfático em sua ordem do dia: "A lenda de que Rommel representa algo mais do que um general alemão comum tem de ser erradicada". Tarefa difícil, pois seu nome adquirira contornos míticos.

No domínio da tática, Rommel mostrou-se especialmente brilhante nos ardis e nos embustes. Quando de sua primeira ofensiva na África, investiu com tamanha rapidez que muitos dos seus tanques se extraviaram no deserto em sua marcha de aproximação. Quando atingiu a principal linha de defesa britânica, para não perder o impulso do ataque, inteligentemente dissimulou o número de blindados de que dispunha, lançando mão de caminhões para erguer densas nuvens de poeira e passar a impressão de que os tanques convergiam de todas as direções. Isso ocasionou o colapso da defesa.

Além de ser extremamente ousado, era astuto. A característica marcante das suas batalhas era o emprego dos blindados como isca. Evitava deliberadamente o combate aberto de tanque contra tanque, tão a gosto dos britânicos dada sua superioridade numérica. Procurava atrair os blindados inimigos às armadilhas previamente preparadas, onde enfrentavam uma barreira de canhões antitanque, em uma combinação da defensiva com a ofensiva. À medida que a guerra prosseguiu, essas "táticas de Rommel" foram sendo cada vez mais adotadas por todos os exércitos.

As derrotas sofridas foram pouco associadas à incapacidade de comando ou erros de avaliação. Em alguns casos, como no das reservas de combustível em Alam Halfa, foram consequência de promessas do Alto-Comando não cumpridas. Em outros, o problema eram as ordens superiores impossíveis de serem cumpridas, o que resultaram na perda de capacidade operacional, como na Segunda Batalha El Alamein.

E o fim da guerra na África, com a desastrosa capitulação do grupo de exércitos ítalo-germânico na Tunísia, foi resultado de uma decisão pessoal de Hitler, a qual

Rommel se opôs veementemente. Em 29 de novembro de 1942, o marechal fez uma tentativa desesperada de fazer valer seu ponto de vista. Mas quando falou em "retirada da África", presenciou o completo descontrole do Führer. Hitler gritou com seu general favorito e teve um ataque de nervos. Ao que Rommel respondeu também exaltado, gritando (conferir capítulo "As batalhas de destruição").

Poucas pessoas ousavam falar dessa forma com Hitler, não importa os disparates que ouvissem. O mito enfrentara o ditador. A partir dessa data, inicia-se uma gradual mudança de atitude de Rommel para com Hitler, que vai da fascinação à mais amarga desilusão no presente. Não poderia haver um futuro com o Führer.

Ao deixar a África em 1943, a partida de Rommel foi quase lamentada por seus adversários, tão grande fora o espaço que preenchia em suas vidas e em sua imaginação. Devia-se isso, em parte, ao tratamento extraordinariamente bom que dispensava aos prisioneiros britânicos, graças a um traço marcante de sua personalidade, o cavalheirismo. Muito maior foi a impressão causada pela rapidez de suas manobras e pelos seus espantosos reaparecimentos, após ser aparentemente dado como derrotado.

Como estrategista, sua visão, talento e audácia foram algumas vezes neutralizados por estimativas errôneas. Como tático, suas qualidades inerentes superam em muito qualquer deficiência. Como comandante, sua excepcional capacidade de liderança era acompanhada de um grande poder impulsionador. Como pontuou o general Fritz Bayerlein, chefe do estado-maior do Panzerarmee Afrika: "Talvez Rommel não tenha sido um grande estrategista. Mas certamente foi o melhor homem em todo o exército alemão na guerra do deserto".

O nome Rommel transformou-se em mito na guerra do norte da África, uma guerra que se pautou por uma expressão um pouco fora de moda, cavalheirismo. As lembranças de combatentes, tanto alemães ("Essa guerra foi muito justa, uma guerra sem máculas") como britânicos ("Lutamos dentro das regras de uma guerra. Mulheres, crianças e civis não foram atingidos nas batalhas"), são concordantes com o cavalheirismo que existiu. "Seja com o inimigo, o amigo ou o irmão, seja com os filhos da Alemanha, da Itália ou Grã-Bretanha, portou-se aqui como um cavalheiro. Misericórdia é a lei que prevalece aqui", lê-se no memorial para os alemães mortos na Batalha de El Alamein, com profunda emoção.

Os soldados alemães que lutaram na África não estavam acompanhados de nenhum dos destacamentos da ss ou dos esquadrões da morte do sd, que realizavam operações de "limpeza étnica" na retaguarda das zonas de combate. Diferentemente da União Soviética, as restrições à civilidade não foram afetadas pelo cumprimento de ordens. No deserto não houve assassinatos nem massacres. As ordens que mandavam executar sumariamente soldados das tropas de assalto capturados atrás das linhas alemãs foram deliberadamente ignoradas por Rommel, apesar de ter recebido instrução de Berlim para agir dessa maneira. O que fez com o despacho foi relatado por seu chefe de estado-maior, o general Westphal: "Queimamos esta ordem no mesmo instante".

"Na guerra do deserto ninguém desejava conquistar e saquear – queriam apenas lutar", escreveu o historiador militar britânico Alan Moorehead. "Foi uma guerra limpa, clara, uma batalha no deserto vazio, onde não havia população civil nem considerações políticas. Era uma guerra de soldados."

Será que a guerra no deserto foi realmente uma disputa entre cavalheiros? Um teste de forças, uma espécie de torneio medieval, em que o derrotado estendia a mão ao vencedor, dizendo "Muito decente de sua parte, meu caro"? Apesar desse espírito cavalheiresco, dessa observância estrita às regras militares, foi uma guerra duramente disputada, com batalhas nada amistosas em que se lutava com empenho e coragem.

A guerra no deserto significou, antes de tudo, um calor insuportável e quedas drásticas de temperatura; de dia, um sol escaldante; à noite, um frio cruel. Significou tempestades que literalmente cegavam; areia sempre presente penetrando em todos os poros, que tornavam o simples ato de respirar uma tortura; nuvens de moscas que pousavam nas feridas abertas. Britânicos, alemães, australianos, neozelandeses, indianos e italianos, todos combatiam uns contra os outros, mas combatiam também um inimigo comum: o deserto. Ali, mais do que em qualquer outro lugar, a guerra significou sujeira, sofrimento, sangue e morte.

O mito de Rommel estava tão consolidado que não se alterou com a derrota alemã na Tunísia.

Em 1944, no comando de um grupo de exércitos na Frente Oeste, propôs um plano estrategicamente inovador para enfrentar a iminente invasão da França pelos Aliados. Seu plano enfrentou a oposição de seus superiores e acabou sendo em parte implementado, mas não em seu ponto fundamental, a concentração dos blindados perto das praias, como pretendia Rommel. Só se pode conjecturar sobre os efeitos de uma estratégia não adotada, mas dado o enorme efetivo das forças aliadas, esmagadora superioridade aérea e o amplo espaço para manobra que dispunham, parece muito duvidoso que qualquer contra-ataque alemão pudesse ter detido os exércitos aliados após terem penetrado profundamente em território francês. Assim, a única solução viável talvez fosse impedi-los de estabelecer uma cabeça de ponte ampla o suficiente para concentrar suas forças. E nas palavras insuspeitas do historiador militar britânico Liddell Hart:

> Se as três divisões Panzer tivessem estado suficientemente perto e prontas para entrar em ação no primeiro dia, a cabeça de ponte dos paraquedistas a leste do Orne e as duas outras do lado oeste poderiam ter sido rechaçadas antes de se consolidarem. Era a única chance boa que os alemães tinham para repelir a invasão. Olhando-se para trás, torna-se tão claro quanto seria possível em tais circunstâncias que, se o plano de Rommel tivesse sido totalmente executado, ofereceria a única perspectiva viável.

Essa é a história do muitas vezes condecorado Erwin Johannes Eugen Rommel, o mais jovem marechal de campo da Wehrmacht. Serviu a seu Führer com lealdade, enquanto acreditou que "Hitler" e "pátria" fossem sinônimos.

Rommel nunca foi da oposição ao regime, tampouco um membro ativo da resistência a Hitler. Ele passou por uma transformação crucial, que talvez seja de importância histórica para muitos alemães, especialmente para os militares. A transformação ocorreu em diversas etapas e pôs fim ao processo que fez dele um soldado apolítico, admirador entusiástico de Hitler. Rommel sempre repeliu o ambiente nacional-socialista. Para ele, Hitler parecia um homem esplendoroso no meio da lama. Confidenciou à esposa: "Infelizmente, o Führer está rodeado de patifes. Porém, quase todos os canalhas do partido são as sobras dos velhos tempos, da época em que o movimento ainda brigava nas ruas".

Tomou atitude idêntica quando em fevereiro de 1944, o prefeito de Stuttgart, Karl Strölin, o pôs detalhadamente a par dos crimes cometidos pelo regime no leste, dos assassinatos de judeus, das mortes em massa e dos massacres. Os únicos responsáveis por tais atrocidades, ponderou, eram os homens que cercavam Hitler.

Não teve qualquer participação no atentado de 20 de julho. Desejava afastar Hitler do poder, não matá-lo. Lucile, sua esposa, declarou por escrito após a guerra: "Gostaria de esclarecer que meu marido não teve qualquer participação na preparação nem na execução do golpe de 20 de julho de 1944, pois, como soldado, recusou-se a seguir esse caminho. Ao longo de sua carreira, sempre foi um soldado, nunca um político".

Ao se analisar a vida de Rommel, percebe-se o dilema que um general precisa enfrentar em um regime totalitário. Enquanto acreditava estar servindo à pátria, servia a um regime que assassinava milhões de pessoas, exterminava povos inteiros e propunha-se a aniquilar sua própria nação.

Hoje em dia, os regimentos Panzer do atual exército alemão treinam na Rommel-Kaserne (Quartel Rommel), em Augustdorf. O nome foi dado em memória de um grande general, de um hábil comandante de blindados, de um verdadeiro líder de homens, que morreu com sua honra imaculada e teve seus feitos militares amplamente reconhecidos como verdadeiras realizações de um gênio e de um soldado na real acepção da palavra.

BIBLIOGRAFIA E FILMOGRAFIA

BIBLIOGRAFIA

A quantidade de obras sobre Rommel é enorme, embora ele próprio não tenha publicado nenhum livro sobre sua participação na Segunda Guerra Mundial. Algumas delas foram selecionadas optando-se pelas traduzidas em português, sempre que possível.

FONTES

LIDDELL HART, B. H. (Org.). *The Rommel Papers*. London: Hartcourt Brace Jovanovich, 1953. (Cartas e seu diário com notas quase diárias.)

_____. *O outro lado da colina*. São Paulo: Melhoramentos, 1980. (Depoimentos de generais alemães, muitos dos quais serviram com Rommel.)

ROMMEL, E. *Memórias de Rommel*. Lisboa: Aster, s/d. (Coletânea de cartas à esposa, completadas com depoimentos do filho do marechal.)

_____. *A infantaria ataca*. Rio de Janeiro: Biblioteca do Exército Editora, 2007.

YOUNG. D. *Rommel*. Rio de Janeiro: Biblioteca do Exército Editora, 1975. (Traz um apêndice com documentos inéditos, reflexões sobre o desenrolar da guerra.)

BIOGRAFIAS

FRASER, D. Knight's Cross: *A Life of Field Marshall Erwin Rommel*. New York: Haper Collins, 1994. (Boa obra com farta documentação.)

FRY, M.; SIBLEY, R. *Rommel*. Rio de Janeiro: Renes, 1976. (Obra sucinta, objetiva.)

KOCH, L. *Rommel*. Lisboa: Aster, s/d. (Obra em tom laudatório.)

KNOPP, G. *Guerreiros de Hitler*. Rio de Janeiro: Zahar, 2009. (Obra recente; atualiza e discute algumas novas informações sobre generais alemães.)

LEWIN, R. *Rommel*. London: Batsford, 1978.

WILLIAMSON, G. *German Commanders of World War II*. Oxford: Osprey, 2005 (Ótima biografia com os fatos essenciais.)

CAMPANHA DA ÁFRICA

AGAR, H. *Crisis in the Desert*. Cape Town: OUP, 1966. (Narra o período de vitórias de Rommel no deserto, visto do lado britânico.)

BARNETT, C. *Desert Generals*. Londres: W. Kimber, 1985. (Bom perfil dos generais que atuaram no norte da África.)

BIERMAN, J.; SMITH, C. *War without Hate*. London: Penguin Books, 2002. (Recente e pormenorizado relato da Batalha de El Alamein.)

CARELL, P. *Afrika Korps*. São Paulo: Flamboyant, 1964. (Leitura obrigatória; fornece a visão alemã da campanha africana.)

CHAMBERLAIN, P.; ELLIS. C. *Afrika Korps, 1941-42*. London: Almark, 1971. (Fartamente ilustrado.)

FORTY, G. *The Armies of Rommel*. London: Arms and Armour Press, 1977. (Ótimo estudo sobre aspectos técnicos da guerra de blindados.)

MACKSEY, K. *Afrika Korps*: Rommel no deserto. Rio de Janeiro: Renes, 1974. (Melhor estudo pormenorizado da campanha no deserto.)

MOORHEAD, A. *The Desert War*. Londres: Hamish Hamilton, 1965. (Obra de um correspondente de guerra que se tornou historiador militar, traz uma vívida impressão da guerra no deserto.)

RUTERFORD, W. *Kasserine*: vitória inútil. Rio de Janeiro: Renes, 1977. (Boa análise detalhada da Batalha de Kasserine.)

SCHMIDT, H. W. *Witht Rommel in the Desert*. London: Harrap, 1978. (Obra do ajudante de ordens de Rommel; retrata toda a ação no deserto desde a Cirenaica em 1941 até a Tunísia em 1943.)

STOCK, J. *Tobruk*: a chave do Egito. Rio de Janeiro: Rennes, 1975. (Boa narrativa detalhada.)

CAMPANHA DA NORMANDIA

CARELL, P. *Invasão 44*. São Paulo: Flamboyant, 1965. (Boa crônica da invasão vista do lado alemão.)

RUGE. F. *Rommel no Dia D*. Lisboa: Aster, s/d. (Relato pormenorizado dos acontecimentos.)

SPEIDEL, H. *Rommel e a campanha da Normandia*. Rio de Janeiro: Biblioteca do Exército Editora, 1967. (Visão do chefe de estado-maior de Rommel.)

SEGUNDA GUERRA MUNDIAL E ANÁLISE HISTORIOGRÁFICA

ALEXANDER, B. *How Hitler could have won World War II*. New York: Three Rivers Press, 2000. (Interessante estudo sobre as decisões erradas tomadas por Hitler que levaram a Alemanha à derrota.)

BRACHER, K. D. *The German Dictatorship*: Origins, Structure and Consequences of National Socialism. Londres: Penguin History, 1975 (Boa análise das condições que propiciaram a ascensão de Hitler.)

DAHMS, H. G. *A Segunda Guerra Mundial*. São Paulo: Ibis, 1986, 2v. (Ótima História da guerra, com profusão de detalhes.)

LIDDELL HART, B. H. *History of the Second World War*. London: Pan Books, 1990. (Obra clássica, privilegia aspectos estratégicos do conflito.)

MELLENTHIN, F. W. von. Panzer Battles. New York: Ballantine Books, 1971. (Análise das principais batalhas envolvendo blindados na Segunda Guerra Mundial.)

ROBERTS, A. *The Storm of War*. New York: Allen Lane, 2009. (Análise dos erros cometidos durante a Segunda Guerra Mundial; apresenta farta documentação inédita.)

WARLIMONT, W. *Inside Hitler's Headquarters*. London: H. A. Jacobsen, 1965. (Interessante depoimento de um general do OKW, que acompanhou a tomada de decisões por parte de Hitler ao longo da guerra.)

FILMOGRAFIA

A filmografia sobre Rommel também é extensa. Destacam-se, em ordem cronológica:

1943 – *Five Graves to Cairo*. Americano. Dirigido por Billy Wilder.

1951 – *The Desert Fox*. Americano. Dirigido por Henry Hathaway (com magnífica interpretação de James Mason no papel de Rommel).

1953 – *That was Our Rommel*. Alemão. Dirigido por Horst Wiganko.

1953 – *Desert Rats*. Americano. Dirigido por Robert Wise.

1959 – *Rommel ruft Cairo*. Alemão. Dirigido por Wolfgang Schleif.

1962 – *The Longest Day*. Americano. Dirigido por Werner Hinz (superprodução, relatando as primeiras 24 horas do desembarque americano).

1967 – *The night of the generals*. Americano. Dirigido por Anatole Litvak (interessante mescla de episódios ficcionais com acontecimentos reais).

1969 – *The Battle of El Alamein*. Italiano. Dirigido por Giorgio Ferroni.

1971 – *Raid on Rommel*. Americano. Dirigido por Henry Hathaway.

1985 – *The Key of Rebeca*. Americano. Dirigido por David Hemmings (ficção ambientada na guerra do deserto).

1989 – *War and Remembrance*. Americano. Dirigido por Dan Curtis (série produzida para a televisão).

1990 – *The Night of the Fox*. Americano. Dirigido por Charles Jarrot.

2006 – *Rommel and the Plot against Hitler*. Americano. Dirigido por Nicholas Natteau (filme documentário de cunho investigativo).

CARREIRA DE ROMMEL

PATENTES

Aspirante – 19 de junho de 1910
Tenente – 27 de janeiro de 1912
Primeiro-tenente – 18 de setembro de 1915
Capitão – 18 de outubro de 1915
Major – 1º de abril de 1932
Tenente-coronel – 1º de outubro de 1933
Coronel – 1º de outubro de 1937
Major-general – 1º de agosto de 1939
Tenente-general – 09 de janeiro de 1941
Coronel-general – 24 de janeiro de 1942
Marechal de campo – 21 de junho de 1942

FOLHA DE SERVIÇO E COMANDOS

Comandante da 2ª Companhia do Batalhão de Montanha de Württemberg – setembro de 1915
Comandante das 1ª e 2ª Companhias do Batalhão de Montanha de Württemberg – julho de 1917
Comandante da 32ª Companhia de Segurança Interna de Friedrichshafen – agosto de 1919

Comandante da 3ª Companhia do 1º Batalhão de Infantaria de Stuttgart – janeiro de 1921
Instrutor da Escola de Infantaria de Dresden – fevereiro de 1929
Comandante do 3º Batalhão do 17º Regimento de Caçadores de Montanha de Goslar –
    março de 1932
Instrutor-chefe da Academia Militar de Potsdam – setembro de 1935
Oficial de Ligação junto ao Comando da Juventude Hitlerista – agosto de 1937
Comandante do Batalhão-Escolta do Führer – setembro de 1938
Comandante da Academia de Guerra de Wiener-Neustad – novembro de 1938
Comandante do Quartel-General do Führer – agosto de 1939
Comandante da 7ª Divisão Blindada (Panzer) – fevereiro de 1940
Comandante do Corpo Africano (Afrikakorps) – fevereiro de 1941
Comandante do Grupo Blindado da África (Panzergruppeen Afrika) – setembro de 1941
Comandante do Exército Blindado da África (Panzerarmee Afrika) – janeiro de 1942
Comandante do Grupo de Exércitos da África (Heeresgruppe Afrika) – fevereiro de 1943
Comandante do Grupo de Exércitos B (Heeresgruppe B) – julho de 1943

CONDECORAÇÕES

Sem contar as comendas por tempo de serviço e as condecorações por ferimentos, Rommel recebeu as seguintes medalhas:

• Primeira Guerra Mundial
Cruz de Ferro (1914) 2ª Classe – 30 de setembro de 1914
Cruz de Ferro (1914) 1ª Classe – 22 de março de 1915
Ordem do Mérito Militar – 8 de abril de 1915
Pour le Mérite – 10 de dezembro de 1917

• Segunda Guerra Mundial
Cruz de Ferro 2ª Classe – 17 de maio de 1940
Cruz de Cavaleiro da Cruz de Ferro com Folhas de Carvalho, Espadas e Diamantes – concedida nas seguintes datas:
    Cruz de Ferro 1ª Classe – 21 de maio de 1940
    Cruz de Cavaleiro – 27 de maio de 1940
Folhas de Carvalho – 20 de março de 1941
Espadas – 20 de janeiro de 1942
Diamantes – 11 de março de 1943

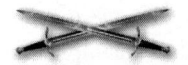

ANEXOS

A ORGANIZAÇÃO MILITAR ALEMÃ NA SEGUNDA GUERRA

Vários tipos de formação foram recrutadas e utilizadas operacionalmente ao longo da guerra. Entre as principais estão:

Divisões Panzer. Até 1941, eram formadas por uma brigada blindada, uma brigada de infantaria blindada, um batalhão de reconhecimento blindado, um batalhão de engenheiros de combate (pioneiros) e um batalhão antitanque. Possuíam cerca de 400 tanques. Na campanha russa, o número de divisões foi dobrado, mas passaram a contar com apenas um regimento blindado de 200 tanques, situação que não se alterou. Ao longo da guerra, a artilharia passou a se utilizar de canhões autopropulsados, montados em chassis de tanques obsoletos, e um batalhão de canhões de assalto foi anexado à divisão. A brigada de infantaria era, sempre que possível, transportada em veículos blindados de meia-lagarta, ou em simples caminhões. O exército criou 32 divisões Panzer, as Waffen-SS criaram 7, e até a Luftwaffe criou uma, a Herman Göring.

Divisões Ligeiras. Foi a resposta da cavalaria à expansão dos blindados no exército. Tinham um batalhão Panzer, dois regimentos de cavalaria motorizada (transportados em caminhões), um regimento de artilharia e um batalhão de reconhecimento (motociclistas). Após a campanha polonesa, quatro foram convertidas em divisões Panzer, e as duas restantes em 1943.

Divisões Motorizadas. Sua função era acompanhar as penetrações efetuadas pelas divisões Panzer, e guardar seus flancos expostos. Eram divisões de infantaria equipadas com veículos de meia-lagarta, caminhões e motocicletas. Criaram-se onze. Em 1943, foram rebatizadas como Panzergrenadier e reorganizadas.

Divisões Panzergrenadier. No decorrer do verão de 1943, a Alemanha passara à defensiva em todos os teatros de guerra. E constatou-se que alguns tanques apoiando a infantaria seriam suficientes para escorar uma linha defensiva. Portanto, as onze divisões motorizadas receberam um batalhão de tanques e outro de canhões de assalto, transformando-se em fracas divisões Panzer. As Waffen-SS chegaram a criar oito delas.

Divisões de Cavalaria. O exército manteve uma única divisão de cavalaria convencional, composta por uma brigada de cavalaria, um regimento de artilharia e um batalhão de motociclistas. Após a invasão da Rússia, ela foi retirada do serviço ativo e reorganizada como a 24ª Panzer. Mas as Waffen-SS criaram quatro dessas divisões, para serviço contra guerrilheiros.

Divisões de Infantaria (Granadeiros). Formam a unidade básica do exército. Na nomenclatura militar alemã, o título "Granadeiro" era uma honraria concedida somente às tropas de infantaria que se destacassem. Mas Hitler estendeu esse título honorífico a todas as unidades do exército alemão. Compunham-se de três regimentos de infantaria, um regimento de artilharia, um batalhão de reconhecimento, um batalhão antitanque e um batalhão de engenheiros.

Divisões de Fortificação. Eram formações estáticas, destinadas a defesa cerrada, e não tinham qualquer mobilidade. Possuíam três regimentos de infantaria, cada um com um batalhão de metralhadoras anexado, e um regimento de artilharia. Eram identificadas pelo número 700.

Divisões de Guarnição. Deviam guardar as áreas conquistadas, ocupando cidades e portos considerados estratégicos. Normalmente, compunham-se de três regimentos de infantaria e um de artilharia.

Divisões de Segurança. Destinavam-se à proteção da retaguarda dos exércitos alemães contra as ações de guerrilheiros. Basicamente tinham apenas três regimentos de infantaria.

Divisões de Caçadores (Jäger). Deviam combater em regiões montanhosas, mas sem serem equipadas como uma divisão de montanha padrão. Eram compostas por três regimentos de caçadores, um regimento de artilharia, um batalhão ciclista, um batalhão antitanque e um batalhão de engenheiros. Foram formadas quatro delas.

Divisões de Montanha (Gebirgsjäger). Também conhecidas como Divisões do Corpo Alpino (Alpenkorps), eram formações organizadas, equipadas e treinadas para serem empregadas em zonas montanhosas. Tinham três regimentos alpinos, um regimento de artilharia de montanha, um batalhão antitanque, um batalhão de reconhecimento e um batalhão de engenheiros. Ao longo da guerra, criaram-se dez dessas unidades e as Waffen-SS chegaram a criar seis mais.

Divisões de Campanha da Luftwaffe. Formadas por pessoal excedente das tripulações de terra da Luftwaffe, tinham carência de treinamento de campanha. Sempre que empregadas sofriam pesadas baixas. Eram compostas por três regimentos de infantaria, um regimento de artilharia, um batalhão antitanque, um batalhão de canhões de assalto, um batalhão de reconhecimento e um batalhão de engenheiros. Ao todo, 18 divisões foram recrutadas.

Divisões Aerotransportadas. Apenas uma divisão foi assim organizada, a 22ª. Destinava-se a dar apoio às divisões paraquedistas sendo transportada por aviões a uma área já controlada. Compunha-se de três regimentos de infantaria aerotransportada, um regimento de artilharia leve, um batalhão antitanque, um batalhão de reconhecimento e um batalhão de engenheiros.

Divisões Paraquedistas. Embora pertencessem à Luftwaffe e não ao exército, sua organização não diferia de uma divisão de infantaria comum. Tinha três regimentos de paraquedistas, um batalhão de artilharia leve, um batalhão antitanque e um batalhão de pioneiros. Foram criadas onze, embora a maioria delas não fosse utilizada como tal.

OS BLINDADOS ALEMÃES

Durante a guerra, a Alemanha produziu vastas quantidades de blindados. Esses veículos são classificados de acordo com sua finalidade e podem ser divididos em três tipos básicos, os tanques, os chassis modificados e os carros blindados.

Os tanques são basicamente veículos blindados sobre lagartas, equipados com uma torre de canhão que gira 360 graus. A denominação alemã dos tanques é Panzer Kampfwagen (Carro de Combate Blindado), abreviando-se para PzKpfw. Eram classificados de acordo com seu modelo padrão, mesmo quando sofriam melhoras na blindagem ou eram equipados com um canhão mais pesado. Os principais tipos de tanques foram:

- PzKpfw I, com duas metralhadoras de 20 mm.
- PzKpfw II, com um canhão de 2 cm.

- PzKpfw iii, com um canhão de 3,7 cm, depois de 1941 com um canhão de 5 cm.
- PzKpfw iv, com um canhão de 7,5 cm.
- PzKpfw v (Pantera), com um canhão de 7,5 cm longo.
- PzKpfw vi (Tigre), com um canhão de 8,8 cm.
- Há ainda o PzKpfw 38t, de fabricação tcheca, com um canhão de 3,7 cm.

Os de chassis modificados eram modelos de tanques ultrapassados para encarar a frente de combate. Eram retirados do serviço ativo e reutilizados, com seu chassis tornando-se carretas para a artilharia autopropulsada, para canhões de assalto ou para caçadores de tanques. A artilharia autopropulsada (*Sturmhaublitze*) dava suporte móvel de fogo às divisões Panzer, com mais velocidade e eficácia que a artilharia convencional rebocada por caminhões. Os canhões de assalto (*Sturmgeschütze*) deviam acompanhar o avanço das divisões Panzer, apoiando-o logo atrás dos tanques. Não eram um substituto para os tanques, mas um complemento, uma vez que, com seu movimento lateral do canhão limitado, não podiam enfrentar as situações táticas inesperadas que surgiam no campo de batalha. Já os caçadores de tanques (*Panzerjägers*) foram uma forma de fornecer maior mobilidade à artilharia antitanque, que poderia enfrentar melhor o desgaste de uma batalha móvel de tanques.

Dentre os caçadores de tanques especificamente fabricados para tal função, destacam-se: PzKpfw 38t Hetzer, com canhão de 7,5 cm, e o PzKpfw Jagdpanther, com canhão de 8,8 cm.

Os carros blindados (Sd Kfz) eram parte importante do batalhão de reconhecimento das divisões Panzer, desde a sua criação. A princípio, agiam junto às tropas de motociclistas e tinham apenas armamento leve, metralhadoras ou canhões de até 2,8 cm.

No decorrer da guerra, quando a luta pela obtenção de informações tornou-se uma questão vital, receberam armamento muito mais pesado, como um canhão de 7,5 cm, mas tiveram de abrir mão do tiro direcional total, de 360 graus. As vantagens dos carros blindados sobre os tanques eram o silêncio durante o deslocamento, maior confiança no funcionamento e maior raio de ação. Contudo, em terrenos muito acidentados ficavam em séria desvantagem.

GLOSSÁRIO

África do norte – Região controlada pelos países europeus. Formada pelo Marrocos espanhol, colônia da Espanha; Marrocos, Argélia e Tunísia, colônias francesas; pela Líbia, colônia italiana; e pelo Egito, protetorado britânico.

Afrikakorps – Corpo Africano Alemão. Denominação das forças alemãs que atuaram na África. Compunha-se basicamente das 15ª e 21ª Divisões Panzer e da 90ª Divisão Ligeira.

África Oriental italiana – Possessão colonial italiana, formada pela Somália, Eritreia e Abissínia. Foi tomada pelos britânicos em maio de 1941.

Aliados – Na Primeira Guerra Mundial (1914-1918) designavam os países adversários dos impérios Alemão, Austro-Húngaro e Otomano. Agrupava vários países, sendo os mais significativos a França, a Grã-Bretanha, a Rússia, a Itália depois de 1915, e os Estados Unidos após 1917. Na Segunda Guerra Mundial, nomeavam os países contrários à Alemanha, à Itália e ao Japão. Em um primeiro momento, britânicos e franceses e poloneses, depois britânicos, soviéticos e norte-americanos, e muitos outros. Também designavam especificamente, os britânicos e os norte-americanos, os Aliados ocidentais. Para os alemães, os Aliados eram os britânicos e norte-americanos.

Alpenkorps – Corpo Alpino. Denominação das forças alemãs treinadas e equipadas para operar em terreno montanhoso. Consideradas tropas de elite, agrupavam-se em Divisões de Montanha (*Gebirgsjäger*). Criado na Primeira Guerra, na Segunda chegou a ter 10 divisões que foram empregadas nos mais variados teatros de guerra da Noruega à Tunísia.

Aproximação – Ação de se encaminhar em direção a um objetivo, o mesmo que marcha de aproximação. *Aproximação direta*: abordar o objetivo diretamente pela frente. *Aproximação indireta*: abordar o objetivo pelos flancos. Na aproximação, o exército se mostrava mais vulnerável aos ataques inimigos, pois ainda não havia estabelecido uma posição defensiva.

Arma – Instrumento de ataque ou de defesa. *Arma ofensiva*: que serve primordialmente para atacar, por exemplo, o tanque. *Arma defensiva*: aquela que tem como função básica a defesa, por exemplo, o canhão antitanque. A arma normalmente presta-se a uma dupla função, ofensiva e defensiva, dependendo das circunstâncias em que se dá seu uso. A palavra "arma" também é empregada para denominar as diferentes formações de um exército, como por exemplo a arma de infantaria, a arma blindada etc.

Arma V – Abreviatura de *Vergeltrunsgswaffe* (arma de vingança). Era a resposta alemã aos bombardeios aéreos que desde 1943 castigavam suas cidades. Seu uso tem início em junho de 1944, e foram de dois tipos, a V-1 e a V-2. A V-1 era uma bomba voadora disparada de uma rampa fixa, com alcance de 300 km e velocidade de 500 km/h. Já a V-2 era um míssil balístico disparado de instalações móveis, que voava a 97 km de altura com velocidade de 5.580 km/h, e levava 46 segundos do disparo ao impacto.

Artilharia – Conjunto de peças para lançar projéteis a grande distância. Pode ser pesada ou de campanha; antitanque, para destruir blindados, ou antiaérea, para abater aviões. A artilharia divide-se em peças de tiro direto, que disparam à vista do alvo (por exemplo, o canhão antitanque), e peças de tiro indireto, que disparam a grande distância, sem avistar o alvo (como os obuses e as peças de campanha). *Barragem de artilharia*: o disparo concentrado de peças a fim de obliterar uma posição inimiga, ou interromper um movimento ofensivo inimigo.

Ataque – O mesmo que assalto ou movimento ofensivo. *Contra-ataque*: reação a um ataque inimigo, esforço para retomar posições previamente perdidas em uma batalha.

Batalha – O choque de forças inimigas. *Batalha cerrada*: o choque frontal entre exércitos. *Batalha de atrito*: em que um lado procura desgastar o outro mediante ataques sucessivos e ininterruptos. *Batalha de movimento*: em que as forças inimigas espalham-se em largas áreas, uma procurando envolver a outra, mediante ações e reações.

Bateria – Organização regimental básica das peças de artilharia sob um único comando, com a finalidade de disparar simultaneamente.

Blitzkrieg – Guerra-relâmpago em português. Doutrina militar alemã operacional que consistia na utilização de forças móveis em ataques rápidos e de surpresa, com o fim de impedir que as forças inimigas pudessem organizar suas linhas de defesa. Seus elementos essenciais eram o efeito surpresa, a rapidez da manobra e a brutalidade do ataque e seus objetivos principais eram a desmoralização do inimigo e a desorganização de seus centros de controle.

Bloqueio – Ação de impedir a livre movimentação do inimigo. *Posição de bloqueio*: negar ao inimigo o movimento em direção a um objetivo. *Bloqueio marítimo*: interdição de um porto inimigo através de forças navais.

Bolchevismo – A denominação usada na época para se referir ao comunismo.

Bombardeiro – Avião destinado a lançar bombas sob o inimigo. *Bombardeiro de mergulho*: ao contrário do bombardeiro convencional, que procurava a saturação do objetivo, mas levava à dispersão das bombas, o de mergulho era mais leve e manobrável, transportando uma bomba de 500 kg e mais quatro de 50 kg, era notavelmente preciso em atingir seus alvos. O mais famoso modelo alemão era o Ju-87 ou Stuka, que com uma sirene acionada pelo vento provocava um sério impacto moral sobre os inimigos, ao qual se somavam os danos físicos causados pela sua carga de bombas.

Box – O mesmo que casamata ou *bunker* em alemão. Na linha britânica defensiva de Gazala, era uma posição fortificada camuflada, protegida por vários campos minados, e guarnecida com uma brigada de infantaria, apoiada por artilharia.

Brigada blindada – Formava o núcleo da divisão blindada, agrupando dois regimentos de tanques. No exército britânico, entretanto, era comum a existência de brigadas autônomas, sem estarem agregadas a uma determinada divisão.

Brigada Indiana – Ver unidades britânicas.

Cabeça de ponte – Termo que se refere a uma posição provisória ocupada por uma força militar em território inimigo, do outro lado de um rio ou do mar, para viabilizar um posterior avanço.

Caça – Avião cuja função é abater aviões inimigos, conquistando a supremacia aérea sobre o campo de batalha.

Campanha – O conjunto de batalhas de uma determinada guerra.

Canhão de 88 mm – Projetado originalmente como um canhão antiaéreo, o canhão de 88 mm revelou-se um excelente canhão antitanque. Foi utilizado pela primeira vez, na nova função, na Batalha de Arras na França, em maio de 1940. Na campanha Africana, foi a base das defesas antitanque de Rommel. Com uma guarnição de seis homens e uma cadência de tiro de 20 salvas por minuto, podia destruir qualquer blindado britânico a longa distância.

Concentração – Agrupamento de forças para uma ação ofensiva ou defensiva. A manobra chama-se curso de concentração.

Divisional – Relativo à divisão, a unidade operacional padrão dos exércitos modernos. A divisão possuía normalmente três regimentos da arma básica a que pertencia (infantaria, alpinas), mais tropas de apoio como artilharia, engenheiros, reconhecimento e comunicações. As divisões Panzer, no entanto, tinham apenas um regimento blindado.

Eixo – Aliança formal entre a Alemanha, a Itália e o Japão na Segunda Guerra Mundial. Na campanha da África, denominava as forças alemãs e italianas.

Engajar – Ato de acometer o inimigo em uma batalha cerrada, mantendo contato constante. Para poder se retirar, uma unidade militar precisa primeiro se desengajar, ou romper o contato com o inimigo.

Espanha franquista – A Espanha podia ser considerada uma aliada virtual de Hitler. A guerra civil que ensanguentou o país de 1936 a 1939, só foi vencida pelos nacionalistas de Franco graças ao forte apoio ítalo-germânico. Pode-se dizer que a guerra civil serviu de laboratório para o desenvolvimento das táticas alemãs da Blitzkrieg, ao menos no que diz respeito à utilização de blindados e da aviação. Profundamente anticomunista, o regime franquista retribuiu a ajuda alemã enviando uma força de 20 mil homens, a Divisão Azul, para lutar na Frente Russa.

Estado-maior – Grupo de oficiais que exercem as funções de planejamento, estudo das diretrizes operacionais e análise dos aspectos logísticos de qualquer operação militar. Hierarquicamente vai do estado-maior divisional até o estado-maior geral (Alto-Comando).

Estratégia – A arte dos movimentos e planejamentos da guerra. A definição de como os recursos serão alocados para se conseguir a vitória sobre o inimigo. Uma estratégia bem-sucedida é a soma de vitórias táticas.

Flanquear – O mesmo que desbordar. Envolver a linha do inimigo por um dos lados. Quando o flanquear é duplo e simultâneo, diz-se que o inimigo sofreu um movimento de pinças.

Forças móveis – Todas as unidades que se deslocam em veículos motorizados. Compreende as divisões blindadas e as mecanizadas.

Freikorps – Corpos Livres. Denominação das organizações paramilitares que se formaram na Alemanha após a derrota na Primeira Guerra. Formados por soldados veteranos, foram particularmente ativos no combate aos vários levantes comunistas que ocorreram no país em 1918 e 1919, sendo a primeira organização paramilitar da República de Weimar. Foram dissolvidos em 1921.

Front – O mesmo que frente ou frente de batalha. O local em que os exércitos inimigos se enfrentam. *Romper o front ou as linhas inimigas*: ter sucesso no ataque.

Führer – Literalmente guia ou condutor. A denominação de Adolf Hitler após 1934. Era o equivalente a Duce, a denominação de Benito Mussolini entre os italianos.

Gibraltar – Território ultramarino britânico localizado no extremo sul da península ibérica. Conhecido popularmente como Rochedo, domina a passagem marítima entre o oceano Atlântico e o mar Mediterrâneo.

Inteligência militar – Setor do exército encarregado de processar informações acerca das intenções do inimigo.

Kriegschule – Escola de Guerra, ou Academia Militar. Escola de treinamento para oficiais.

Lagartas ou **esteiras** – Sistema de tração dos tanques que os permitia trafegar em qualquer terreno. Normalmente, os veículos utilizados nas divisões Panzer e Panzergrenadier para rebocar a artilharia e transportar os granadeiros eram de semilagartas, com dois pneus dianteiros e um sistema de lagartas traseiro. Para o transporte em geral, estas divisões utilizavam-se de caminhões que ficavam restritos às estradas.

Lebensraum – Espaço-vital. Para o desenvolvimento futuro, a Alemanha deveria expandir-se para leste, a fim de encontrar seu Lebensraum em território agrícola e recursos minerais e poder agrupar todos os representantes da "raça ariana".

Nebelwerfer ou **lança-nevoeiro** – Peça de artilharia alemã altamente móvel que disparava a uma cadência de menos de um minuto, 6 foguetes com 34 kg de explosivos cada um a uma distância de 7 km. Fez sua estreia no campo de batalha, em novembro de 1942, no *front* tunisiano.

Omaha – Nome em código de uma das praias do desembarque dos soldados norte-americanos na Normandia. Foi o local onde ocorreu o maior número de baixas fatais norte-americanas em um dia (mais de 7 mil), causadas pela eficácia da defesa alemã. Passou para a história como a "sangrenta Omaha".

Operacional – Que tem o poder de determinar operações de guerra. *Comando operacional*: controle efetivo sobre uma força combatente.

Panzer – Blindado em alemão; o mesmo que tanque ou carro de combate. A denominação completa em alemão é *Panzer Kampfwagen* (veículo de combate blindado).

Panzerarmee – Exército blindado. Definia um núcleo de divisões blindadas e móveis, de quatro a seis, ao redor das quais se articulavam divisões de infantaria para formar uma força combatente. *Panzerarmee Afrika*: Exército Blindado da África. Denominação das forças comandadas por Rommel na África a partir de janeiro de 1942. A espinha dorsal da formação eram as 15ª e 21ª Divisões Panzer e a 90ª Ligeira.

Panzergruppen Afrika – Grupo Blindado da África. Criado em 10 de setembro de 1941, sob o comando de Rommel, agrupava todas as unidades terrestres alemãs no norte da África e as unidades italianas *no front* da Cirenaica.

Panzer Lehr Division – Divisão Blindada Escola. Era a divisão mais bem equipada e com maior número de tanques de toda Wehrmacht. Era formada por unidades-escola alemãs, com alto moral e espírito combativo. Todos seus granadeiros eram transportados em blindados de meia-lagarta e seu regimento Panzer contava com mais de 230 tanques, dos modelos mais recentes.

Ponto focal – O mesmo que centro de gravidade, *Schwerpunkt* em alemão. O local onde se dá o esforço máximo do inimigo.

PzKpfw III – Abreviatura de *Panzer Kampfwagen*, ou carro de combate blindado. O PzKpfw III foi o blindado médio padrão utilizado pelos alemães na campanha africana. Armado inicialmente com um canhão de 3,7 cm, e duas metralhadoras de 7,9 mm, recebeu depois um canhão de 5 cm e melhoras sucessivas na blindagem. Pesava 20 toneladas e desenvolvia uma velocidade máxima de 40 km/h.

PzKpfw IV – Abreviatura de *Panzer Kampfwagen*, ou carro de combate blindado. O PzKpfw IV foi o principal blindado pesado da Wehrmacht até 1942 e do DAK durante toda a sua carreira. Superior a todos os tanques aliados, era a espinha dorsal das divisões Panzer no norte da África. Sofreu sucessivas melhoras em seu armamento e blindagem. Era armado com um canhão de 7,5 cm e duas metralhadoras de 7,9 mm. Pesava 23 toneladas e tinha uma velocidade máxima de 40 km/h.

Q-G – Abreviatura de Quartel-General. O centro de comando e comunicações de qualquer unidade. A designação serve tanto para as unidades menores, como companhias, até para as grandes formações, como grupo de exércitos.

Rastemburgo – Localidade da Prússia oriental onde, nas vizinhanças, ficava o Q-G de Hitler, conhecido como "a toca do lobo".

Regimento – A unidade padrão de recrutamento de todos os exércitos e de todas as armas. O regimento de infantaria básico tinha pouco mais de 3 mil homens, agrupados na razão de três por divisão.

Reich – Império ou reino em alemão. Terceiro Reich é a denominação da Alemanha de Hitler. Em retrospectiva, o Sacro Império Romano-germânico da Idade Média foi o Primeiro Reich e o Império Alemão de 1871 a 1914 foi o Segundo Reich.

Retaguarda – A parte de trás das linhas. As tropas que fecham a marcha do corpo principal.

Russos – Os alemães continuaram a se referir aos soviéticos como russos. Assim, a campanha contra a União Soviética é chamada de campanha contra os russos.

Supremacia aérea – Diferentemente da superioridade aérea, que pode ocorrer em determinado momento e num determinado local e reflete uma vantagem sobre o inimigo, a supremacia aérea é uma situação de interdição de voo de qualquer aeronave do inimigo sobre todo campo de batalha.

SA – Abreviatura de *Sturmabteilung,* ou Tropas de Assalto. Também conhecidas como Camisas Pardas, a cor de seu uniforme. Organização paramilitar do Partido Nacional-Socialista, criada em 1921. Nas décadas de 1920 e 1930, protegendo os comícios do partido e atacando os adversários comunistas e socialistas, foi peça fundamental para a ascensão de Hitler. Em junho de 1934, quando foram postas sob o controle do Exército, somavam 2 milhões de homens.

SD – Abreviatura de *Sicherheitsdienst* (Serviço de Segurança). Era o setor primário do serviço de inteligência nacional-socialista. Operavam basicamente nas áreas ocupadas em movimentos de repressão aos dissidentes.

SS – Abreviatura de *Schutzstaffel* (Tropas de Proteção). Constituíam, originalmente, a polícia interna do Partido Nacional-Socialista. Posteriormente, dividiram-se em Allgemeine, encarregada da segurança do Estado, e Waffen, o ramo militar. As Waffen-SS tornaram-se sinônimo de tropas de elite, equipadas com as armas mais modernas e formadas por combatentes escolhidos não só pela aptidão física, mas também pela crença inabalável no nacional-socialismo. Eram recrutadas em toda Europa ocupada e, em 1944, das 42 divisões que perfilavam, só 15 eram genuinamente alemãs, sendo as restantes formadas por voluntários das mais diversas etnias.

Tanques britânicos – No exército britânico, diferentemente do alemão, havia dois tipos de tanques. Os tanques de infantaria (*infantary tanks*), mais pesados e com maior blindagem, deveriam acompanhar o ritmo de marcha das formações de infantaria, para dar-lhes apoio, e os tanques cruzadores (*crusaders*), mais leves e ágeis, destinados a agir em unidades blindadas independentes, como brigadas.

Tática – A arte de vencer batalhas. Planejamento, movimentação e emprego de tropas especificamente para vencer determinada batalha.

Unidades britânicas – As unidades britânicas utilizadas na África vieram de várias partes do Império Britânico. As tropas recrutadas na Grã-Bretanha, referidas como britânicas, foram a 1ª, a 2ª, a 7ª (esta conhecida como "os ratos do deserto"); a 8ª e a 10ª Divisões Blindadas; a 44ª, a 50ª, a 51ª (esta refeita após a captura na campanha francesa) e a 70ª Divisões de Infantaria; e a 1ª e 2ª Brigadas Blindadas. A Austrália contribuiu com as 6ª e 9ª Divisões de Infantaria e com a 18ª Brigada Australiana. Da Nova Zelândia veio a 2ª Divisão Neozelandesa (composta em sua maioria de nativos maoris). A África do Sul enviou as 1ª e 2ª Divisões Sul-Africanas. E a Índia enviou as 4ª, 5ª e 10ª Divisões Indianas, as 3ª e 161ª Brigadas Motorizadas Indianas e a 18ª Brigada Indiana (as unidades indianas compunham-se de 1/3 de tropas recrutadas e treinadas na Grã-Bretanha e de 2/3 de tropas recrutadas e treinadas no subcontinente indiano).

Vanguarda – Porção de tropas que vai à frente do corpo principal. Em geral, a vanguarda é utilizada para reconhecimento das posições inimigas.

Voluntários russos – Um número indeterminado de voluntários russos, das mais diversas etnias, serviu sob uniforme alemão. Sua motivação foi tanto o repúdio ao comunismo como o desejo de aventura. Principalmente tártaros, armênios e georgianos foram utilizados para preencher os efetivos das divisões alemãs sediadas na França, a partir de finais de 1942.

Wehrmacht – Denominação do conjunto das forças armadas alemãs sob o regime nacional-socialista. Compreendia o exército (*Heer*), a marinha (*Kriegsmarine*) e as forças aéreas (*Luftwaffe*).

O AUTOR

Cyro de Barros Rezende Filho nasceu na cidade de São Paulo. Estudou Administração de Empresas na FGV e História na FFLCH/USP, onde se doutorou. Morou alguns anos em Londres e lá estudou economia europeia contemporânea. Em 1988, transferiu-se para Taubaté, SP, onde lecionou História Antiga e Medieval e fez parte do Mestrado de Ciências Ambientais da Unitau. Também foi coordenador do curso de pós-graduação em Política e Sociedade no Brasil Contemporâneo (Unitau). Autor dos livros *Guerra e guerreiros na Idade Média*, *História econômica geral* e *Economia brasileira contemporânea*, da Contexto.